U0065483

[小學生]

晨讀10分鐘

閱讀素養故事集

閱讀練習本

總策劃——黃國珍

作者——陳昆志、品學堂編輯群

目錄

閱讀心法 **04** 歸納與上位概念

閱讀心法 **05** 整理訊息的方法

閱讀心法 **06** 事實與觀點

閱讀心法 **11** 帶著立場閱讀

閱讀心法 **12** 閱讀世界的無限文本

綜合練習

吃對海鮮四原則

練習一 〔辨認塊狀的訊息——「段落」〕

這篇文章總共有幾個自然段？

提示：一般我們認識的段落叫做「自然段」，用「換行、空兩格」來做區分。「意義段」則是能夠表達完整意思的一段文字，以「是不是表達同一個概念」、「是不是講同一件事」來區分，通常一個意義段可能包含多個自然段。

練習二 〔找出相關的訊息〕

下列都是從第一段內容擷取出來的訊息，請閱讀第一段後，根據文章完成下列訊息的填空。

（A）地球人口 _____（地球人口發生了什麼事？）

（B）人類需要更多的 _____（對什麼需求增加？）

（C）捕撈技術的 _____（發生了什麼事？）

（D）生活條件提升，人類 _____ 手中的資源（對資源做了什麼事？）

（E）海中的生物漸漸因為 _____ 而耗竭（原因是什麼？）

（F）因為 _____，如何選擇對海洋友善的海鮮是身為臺灣人應該具備的常識（為什麼選擇海洋友善的海鮮是臺灣人應該具備的常識？）

練習三 〔找出相對的訊息〕

小珍讀完本文後，說：「選購養殖魚能保護海洋。」這句話有正確的地方，也有不正確的地方，請從文中分別找出一個訊息，指出它正確和不正確的理由。

提示：先找到特定句子，然後再分辨句子附近的文句，有哪些訊息支持它？哪些訊息不支持它？

阿志的反省日記

練習一　〔從複雜的段落中找出訊息〕

下面這些問題的答案，你能從文中找到線索嗎？

（A）為什麼「我」放學後想要先打電動？

（B）「我」的爸爸用什麼話訓斥我？

（C）為什麼老師會詢問「我」是不是心情不好？

練習二　〔找出文中重要的關鍵訊息〕

老師認為，「我」和爸爸吵架的主要原因是什麼？

提示：不是所有的原因都會直接告訴你，要仔細閱讀老師說的話喔！

練習三　〔從圖表呈現的方式推論出訊息〕

根據「我」所繪製的圖表，除了可以看出某件事情「『我』想不想做」、「爸媽想不想『我』做」之外，還可以看出什麼？

（A）為「我」想做事情的優先順序排行

（B）這個結果是爸爸還是媽媽的想法

（C）某件事情花了「我」一天多少時間

（D）爸媽想不想「我」做某件事的原因

提示：圖表中的「方向」和「距離」分別代表什麼？

地震須知

練習一 〔找出文字之外的訊息〕

嘗試將整篇文本分成三個意義段，並且試著說說看，有哪些要素可以幫忙區分
這三個部分？

提示：不是只有文字具有訊息喔！

練習二 〔從圖片中找出訊息〕

閱讀「災前」第一項的內容，這張圖片主要在傳達哪兩個訊息？

（A）房子、家具
（B）檢查、固定
（C）管線、重物
（D）破損、倒塌

提示：搭配文字一起來看，可以幫助理解內容在說什麼！

練習三 〔解讀文本中的訊息〕

注意這些區塊的底色和字的顏色，和日常生活中的什麼東西很像呢？
為什麼作者要這樣設計？這些顏色傳遞了什麼訊息？

杜子春與老人

 練習一 〔判斷資訊之間的關係〕

根據本文，說說看下方 A、B 兩件事之間的關係是什麼？

（A）杜子春花光家產積蓄

（B）杜子春投靠親戚朋友

提示：A 和 B 發生的時間順序為何？如果一件事導致另外一件事，是什麼關係？

 練習二 〔找出簡單事件因果關係的訊息〕

為什麼杜子春第三次遇到老人時，第一個反應是「掩面逃走」？

（A）老人正在找他催討先前鉅額的債務

（B）杜子春怕老人的幫助讓自己更墮落

（C）杜子春對老人一再的善意感到愧疚

（D）老人名聲不好，杜子春怕受到連累

練習三 〔說明角色之間的關係〕

在第三次與老人見面時，杜子春將誰拿來與老人做比較？老人與他們有什麼不同？

提示：故事中除了杜子春、老人之外，還有什麼角色？

生殖健康和性別平等
有什麼關係？

練習一 〔找出證據想證明的事〕

第一段中，作者提出思想家洛克的觀點，是為了「證明」哪一件事？

（A）人類的性別平等觀念很晚才出現

（B）17、18 世紀時人們開始反對君王

（C）生而自由的平等過去只限於男生

（D）女人工作的成果應該要屬於男人

提示：除了理解洛克這句話的意思，還要理解本文作者的想法！

練習二 〔選出正確的關係階層〕

試著選出能夠正確表達性別不平等指數 GII、生殖健康、孕產婦死亡率、未成年生育率、工作權、受教育權、參政權這些詞之間關係的圖片？

（A）

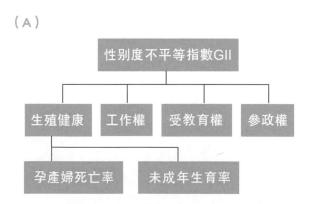

（B）

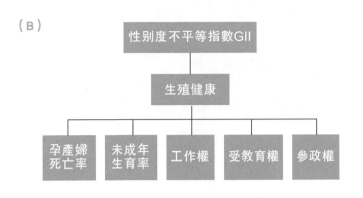

（C）

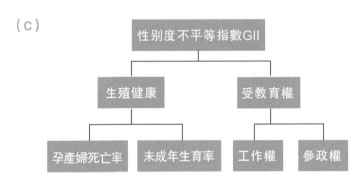

提示：可以以「生殖健康」作為起點，想一想這些詞與它的關係，分別是在它的上面、下面還是同階層的概念。

練習三　〔解讀數據圖表之間的關係〕

想一想，表一與表二彼此之間有什麼關係？試著用幾句話說明。

提示：表一和表二放在一起有什麼好處？若只顯示其中一張，會有什麼壞處？

登山意外誰的錯？

▼ **練習一** 〔找出關係相近的資訊〕

哪一個人對於議題的立場與 ANN 最接近？

（A）LISA　　　（B）KUCCI　　　（C）WENDY　　　（D）ALINE

提示：ANN 的立場是什麼？先找出幾個關鍵目標，再逐步縮小範圍吧！

▼ **練習二** 〔釐清言論之間的互動關係〕

ALINE 的言論是針對誰說的？

提示：ALINE 的言論是什麼？什麼言論會引起這樣的反應？

▼ **練習三** 〔以文氏圖呈現資訊之間的關係〕

LISA 和 WENDY 兩人意見之間的關係怎麼表示才正確？

（A）
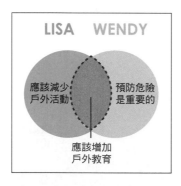

（B）

（C）

（D）

提示：文氏圖這種圖表常常用來表示兩件事物之間的關係，圖中深藍綠色代表 LISA 的意見，淺藍綠色代表 WENDY 的意見，而兩人之間的灰色代表兩人共同的意見。

Note

防禦駕駛

根據指示，從下列表格中各選出一個適合的詞彙組成完整的句子，以說明本文的主旨。

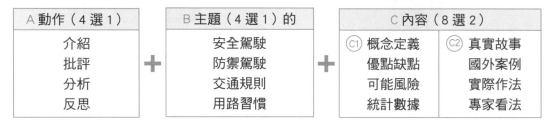

A 動作（4 選 1）	B 主題（4 選 1）的	C 內容（8 選 2）	
介紹	安全駕駛	C1 概念定義	C2 真實故事
批評	防禦駕駛	優點缺點	國外案例
分析	交通規則	可能風險	實際作法
反思	用路習慣	統計數據	專家看法

這篇文章的主旨是（A+B+C1+C2）：

_____

提示：仔細分析表格 A 中這些動作的差異，這是最困難的部分。

▼ **練習二** 〔從對的敘述中找出與作者寫作目的最相關的敘述〕

根據本文，下面的敘述都是正確的，但哪一個可以回答本文的主要問題呢？

（A）防禦駕駛和安全駕駛的定義不一樣

（B）防禦駕駛要注意闖紅燈的違規車輛

（C）防禦駕駛更強調避免自身發生危險

（D）防禦駕駛的工作包涵事前檢查車輛

提示：可以先釐清本文作者寫這篇文章的用意是什麼，文章裡面有答案喔！

▼ **練習三** 〔解讀訊息的排列〕

文本中的「灰色箭頭」有什麼功能？作者希望透過箭頭達到什麼目的？

提示：想一想，如果沒有箭頭，閱讀會有什麼不同？

動物權是什麼？能吃嗎？

練習一 〔文本內容的敘述順序〕

以下有八張字卡，請從其中選出五張字卡，排出本文一～五段的段落大意。

A 動物權的溯源和生活應用	B 人們對動物權的普遍認識
C 電宰法所使用的技術原理	D 解釋人道宰殺的原因原理
E 人道宰殺的實際作法舉例	F 屠宰衛生檢查的詳細標準
G 市區流浪動物的悲慘現況	H 非瀕危物種的動物權狀況

提示：段落大意是能夠涵蓋一個段落主要意思的一句話，當我們寫出段落大意後，可以透過這個段落裡面的訊息以及分析訊息之間的關係，幫助我們檢查這個段落大意是不是正確或完整。

練習二 〔推論作者期望透過本文讓讀者採取的行動〕

下列哪一件事比較可能是本文作希望讀者讀完文章後，所採取的行動？

（A）全面放棄葷食，改吃素食 　（B）立即購買文中提到的著作
（C）留心食衣住行中的動物權 　（D）積極參與動物復育的工作

提示：「我的看法」不一定是「作者的意思」，要從文中找證據。

練習三 〔寫作方式的分析〕

作者在第四段中，用什麼方式讓我們更容易理解「痛苦」和「折磨」的差異？

（A）引用別人著作中的說法 　（B）舉出生活中常見的事例
（C）根據科學家提出的研究 　（D）用許多形容詞加以形容

提示：哪一些訊息與「人道宰殺」沒有直接的關係？哪些訊息幫助你理解「痛苦」和「折磨」的差別？

手機成癮

這篇文本主要在說什麼？

（A）分析臺灣與香港年輕人手機成癮的原因
（B）說明臺灣與香港年輕人手機成癮的情況
（C）提出能解決年輕人手機成癮的具體方法
（D）批評年輕人手機成癮、學業退步的情形

下列哪一件事是作者在文中沒有明說，卻想要透過本文內容告訴讀者的？

（A）手機成癮狀況會隨成長而逐漸減少
（B）男性學童手機成癮問題應更加警惕
（C）手機成癮與手機的普及可能有關係
（D）香港青少年的手機成癮比臺灣嚴重

提示：文章中主要舉了哪兩個地區？注意圖表，這些例子中分別提到哪兩類數據？

仔細觀察「2017 年香港學童與青少年持有手機比例與性別的關係」的圖表，圖表的底線代表的是「0%」嗎？你是怎麼知道的？想一想，為什麼作者要特別這樣繪製？

對話裡的偏見

❯❯ 練習一 〔找出故事所涉及的議題〕

本文篇名叫作「對話裡的偏見」，試著從同學的對話裡推敲並統整，文中有提到對哪些族群的偏見或歧視？

( )	安靜的同學	( )	老人
( )	外籍移工	( )	原住民
( )	女性	( )	窮人

提示：有些偏見與歧視很明顯，但有些則不那麼容易察覺，但它們也讓人感到不舒服。

❯❯ 練習二 〔找出特定主題下的子概念〕

故事中，同學們表現出對於東南亞外籍移工哪些方面的偏見與歧視？

	個人外表	藝術才能	工作內容	家庭職責	宗教文化

提示：想一想，他們總共聊了哪些話題？

❯❯ 練習三 〔從敘事的角度歸納文本〕

我們將整個故事分成三個大段落，它們在「故事」中分別扮演什麼角色？請選取下面的字詞填入表格中。

A 闡述主題	B 反思主題	C 延伸主題
D 引出故事	E 解釋背景	F 人物刻畫

概念	在故事裡的功能
第一部分（1-2 段）	
第二部分（3-14 段）	
第三部分（15-17 段）	

提示：想一想，他們聊了哪些話題？故事通常會有結構，如「開頭－過程－結尾」，不同的故事在結構的設計上也會不同。想一想，這篇文章說了哪些故事？它們之間有什麼關係？

生涯彩虹圖

 練習一 〔歸納指示性文字的意涵〕

第一張彩虹圖下方的連續段落文字，主要在說什麼？

（A）圖中角色有什麼不同 　（B）圖中不同物件的功能

（C）圖中的圖形要怎麼畫 　（D）圖中的顏色如何設計

提示：除了閱讀文字之外，整個文本的情境、文字的位置以及圖中內容也能幫助理解喔！

練習二 〔透過統整理解圖表訊息呈現的方式〕

在生涯彩虹圖中，同一種角色的圖形在哪些方面是相同的？請打勾。

	填滿圖形的長度		填滿圖形的顏色
	填滿圖形的寬度		所在圓圈的層數

提示：這些要素：長度、寬度、顏色、層數分別代表什麼意思？

練習三 〔排列文本概念的樹狀圖階層〕

請根據本文，將下面七個概念繪製為樹狀圖，依序填入正確的位置。

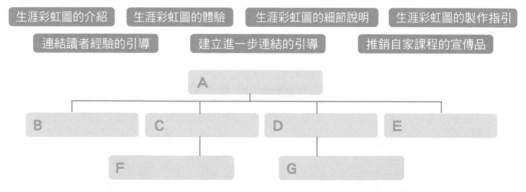

提示：可以先釐清這些概念分別是文章中的哪些部分，再思考概念之間的關係。

認識臺灣原住民族的命名方式

練習一 〔根據主題知識指出分類的規則〕

小昆以「命名方式的不同」原則將原住民族列分為下列兩類，請觀察他的分類結果，找出他的分類邏輯是什麼？

阿美族、布農族、鄒族、賽夏族、邵族、撒奇萊雅族、拉阿魯哇族、卡那卡那富族	泰雅族、排灣族、魯凱族、賽夏族、達悟族、噶瑪蘭族、太魯閣族、賽德克族

小昆分類邏輯是：＿＿＿＿＿＿＿＿＿＿＿＿＿＿＿＿＿＿＿＿

提示：可以寫出這些族群的命名方式，然後找出相同的命名方式。

練習二 〔統整文本內容以理解作者敘述的特點〕

本文介紹了四種命名規則，哪些內容是作者在介紹所有規則時都有提及的？請打 V。

（　）規則的代表族群　　　　　（　）命名的規則結構

（　）實際命名的舉例　　　　　（　）命命規則的例外

提示：在文章中以不同顏色標示出這些概念，看看哪個顏色是每個段落都有的。

練習三 〔從資訊統整解讀整體〕

從本文舉例的名字，可以看出原住民族命名規則背後的共同點是什麼？

（A）強調社會階層與分工　　　　（B）與自然環境緊密相關

（C）重視族裔傳承的觀念　　　　（D）將群體至於個體之上

提示：親名、子名、氏族名、家族名有沒有什麼共通點？

警察與讚美詩

練習一 〔以表格分析故事人物的動機〕

為什麼索比寧願去監獄,也不要接受慈善機構的救濟?試著完成下面的表格,並對這個問題進行分析。

過冬方案	優點	缺點	需要做什麼
接受慈善機構救濟			
被關進布萊克韋爾島監獄			

提示:文章中的資訊能夠幫我們完成表格。有些欄位的內容可能一樣。

練習二 〔根據表格的內容提取上位概念〕

根據故事以及下方表格填入的內容,請寫出括號中代表的上位概念?

( )	( )	( )
第一次嘗試犯罪	吃飯不付錢	被領班侍者看穿
第一次嘗試犯罪	打破櫥窗玻璃	警察不覺得他是嫌犯
第三次嘗試犯罪	偷別人的傘	傘的主人也拿了別人的傘

提示:從每一列的內容可以用什麼詞語概括?故事的情節能夠幫助你找到答案!

練習三 〔透果表格釐清故事的主要意涵〕

透過表格整理故事中索比所處空間和內心想法的變化,以及索比的願望是否達成。並試著回答:作者透過索比的遭遇,想要傳達什麼事情?

情節發展	空間	索比的心願	心願是否達成
開頭			
第一次犯罪			
第二次犯罪			
第三次犯罪			
結局			

我認為,作者透過這篇文章想要傳達:＿＿＿＿＿＿＿＿＿＿＿＿＿＿＿

提示:索比在故事中發生的事情都不太一樣,但有一件事卻是相同的!

節能建築

練習一 〔合理的切分意義段〕

將文章的自然段切分成四個意義段，下列哪一個切分方式比較合理？

（A）12-34-56-7　　　　　　（B）12-3-45-67

（C）12-34-5-67　　　　　　（D）1-23-45-67

提示：「意義段」是能夠表達完整意思的一段文字，以「是不是表達同一個概念」、「是不是講同一件事」來區分。一個意義段可能包含多個自然段。

練習二 〔選出意義段含有的上位概念〕

分辨下面 1-8 項的概念是否出現在四個意義段中，有的請打勾。

意義段裡面有的上位概念	意義段 1	意義段 2	意義段 3	意義段 4
現代人開始重視節能減碳的原因				
現代居住環境會越來越熱的原因				
被動式建築所要達到的環境標準				
某個節能策略能降溫的基本原理				
某個節能策略現實中的應用舉例				
某個節能策略能有效節能的標準				
某個節能策略可能會產生的壞處				
某個節能策略在臺灣使用的建議				

提示：有些概念是本文完全沒有提到喔！

練習三 〔將文本的重點整理成表格〕

觀察練習二的結果，從中選出你覺得最能以表格呈現的意義段和上位概念，然後用文本裡的資訊整理成「隔熱策略」表格。

提示：哪些意義段比較可以比較？哪些概念出現的次數最多？

網頁流程圖

練習一 〔用表格整理訊息〕

下圖是小昆針對圖中「框格」圖形所整理的表格，其中有些地方是空白的，請填入正確的資訊？

框線樣式	圖案形狀	（ ）
（ ）	（ ）	白色
		黃色
	橢圓形	白色
	（ ）	白色
（ ）	矩形	白色

提示：下表中，除了上方的表頭外，左邊的欄位也概括了右邊的欄位。

練習二 〔分析圖中圖像的意義〕

根據文中的資訊，請判斷下表列舉出的圖形，它們在網站上的功能分別是什麼？請在正確的功能上著色或打勾。

圖形	是人為還是系統做的？	是什麼動作？
實線矩形	□人為　□系統	□判斷　□執行或操作
實線橢圓形	□人為　□系統	□判斷　□執行或操作
實線六邊形	□人為　□系統	□判斷　□執行或操作
虛線矩形	□人為　□系統	□判斷　□執行或操作

提示：找出相同圖形中指令的共通點。

練習三 〔製作簡單的表格來比較圖案〕

下方是一個 2 X 4 的表格，請試著用這個表格，整理本文中「帶箭號線條」的顏色的意思。

提示：觀察箭號線條的起點與終點的框格，找出規律！

社群媒體之戰！
我們是用戶還是商品？

▼ 練習一 〔分辨訊息的屬性〕

根據文章內容，下列句子中，哪些是事實？哪些是觀點？

句子	判斷
另類選擇黨成功的關鍵，在於他們創立的社群平臺。	事實／觀點
大衛・艾爾利希於知名電影評論網站 IndieWire 為這部片打了 B ＋的分數。	事實／觀點
乍看之下得到免費服務的用戶，其實是在把自己賣給了社群軟體。	事實／觀點
對於《智能社會》的批評，Facebook 發出七點聲明駁斥。	事實／觀點

提示：這句話是轉述一件事，還是表達一種看法？

▼ 練習二 〔指出觀點的提倡者〕

閱讀文中這些帶有觀點的句子，試著分辨：這是誰提出的觀點？

句子	提倡者
你沒有花錢買產品，那你自己就是產品。	
《智能社會》試圖談論很多主題，並且說明社群軟體所產生的負面後果。	
Facebook 充斥新冠肺炎的錯誤訊息，使影片中的議題受到國際重視。	
《智能社會》的導演用煽情的手法來證明自己的觀點。	

提示：做出這些判斷的人是誰？

▼ 練習三 〔根據提出的觀點判斷立場〕

透過本文，可以推論作者對於「社群軟體是否對社會造成重大影響？」這個問題，比較偏向哪一個立場？為什麼？

提示：如果你支持其中一個立場，又想顯得中立，你會怎麼做？可以從篇幅、數量、留下的問題等等來解釋。

越來越環保的電動車

練習一 〔辨別事實對於觀點的支持能力〕

下列哪一個文中的訊息，最能支持「電動車越來越環保」這個觀點？

（A）一輛電動車所排放的溫室氣體，相當於 88 mpg 的汽車

（B）可再生能源發電，例如太陽能和風能，已經增長到占發電比例的 10%

（C）2009 年，不到一半的美國人居住在平均油耗水準低於 50 mpg 的區域

（D）未來五年即將販售的汽車，大部分都還是要靠汽油驅動

提示：電動車環保的關鍵是什麼？汽車變省油對總體 mpg 有影響嗎？

練習二 〔評估影響事實可信度的因素〕

下列何者是文中作者提到的事實，共同擁有的特性？

（A）都加上圖表資訊輔助說明

（B）都缺乏明確、具體的數據

（C）都將電動車與汽車做比較

（D）都沒有解釋資料來源出處

練習三 〔考慮文本觀點與隱藏事實間的關係〕

考量到本文對於「電動車與汽車相比，是否是更好的代步工具？」這個問題的觀點，作者比較不傾向在文中加入下列哪一項事實？

（A）電動車鋰電池的生產過程會造成高污染

（B）化石燃料存量在可見的未來內將會耗盡

（C）大部分電動車目前的性能還比不上汽車

（D）汽車從誕生到今日已經變得越來越省油

提示：先釐清作者的觀點與目的，就可以知道哪個事實與作者的目的不符。

按讚會挨告嗎？

練習一　〔辨別文本內容中的事實〕

根據本文，下列哪一句話屬於事實？

（A）「按讚」與「閱」或「看過」很相似

（B）「按讚」的功能是「表達關心或認同」

（C）小明並未在小美的發文底下留言附和

（D）小華很調皮，是名符其實的「死白目」

練習二　〔根據文本做出合理的推論〕

透過本文，不能得知下列哪一件事？

（A）在《刑法》中，「罵人『死白目』」符合法律對「侮辱」的定義

（B）在公眾場合當著別人的面罵人，就會被檢方依據《刑法》起訴

（C）根據現在普遍的觀點，在網路上對謾罵貼文按讚可能不會受罰

（D）在私密的日記裡侮罵他人，不會觸犯《刑法》中的公然侮辱罪

提示：根據本文描述，哪件事情只是「可能」發生？

練習三　〔辨別對文本描述的性質〕

讀完本文後，老師請同學針對本文提出一些看法，下列哪一個同學說的是他對本文的觀點，而非本文「客觀的事實」？

（A）小珍：本文列出與兩個案例相關的法律條文

（B）小伶：本文舉了兩個網路發言或按讚的案例

（C）小君：本文目的在於提醒讀者謹慎網路發言

（D）小昆：本文分析了案例一中兩個角色的狀況

去爬五寮尖

⌄ **練習一** 〔以圖形表示事件的過程〕

下方五個方框是這篇文章的事件經過與地點,請根據提示,完成整個流程圖。

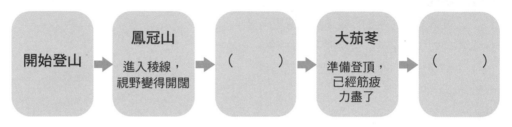

開始登山 → 鳳冠山 進入稜線,視野變得開闊 → ( ) → 大茄苳 準備登頂,已經筋疲力盡了 → ( )

提示:試著從文章和前後內容推敲答案!

⌄ **練習二** 〔以圖形表示事物的特性〕

下圖是用來表示五寮尖山的星形圖,請根據提示,完成整個星形圖。

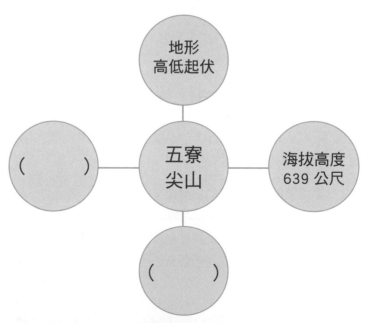

地形高低起伏

( ) — 五寮尖山 — 海拔高度639公尺

( )

練習三 〔以樹狀圖整理文本中的訊息〕

下圖是根據本文所整理出來的樹狀圖文章結構,請將以下七個參考文字內容,
填入 A-G 正確的空格中。

參考文字

登山意外增加	來臺灣讀書半年	抵達大茄苳	峭壁雄峰
五寮尖高低起伏	不能因為危險而禁止戶外活動	更像一座攀岩場	

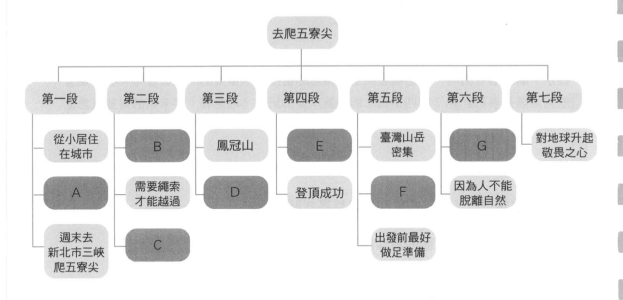

提示:把文章想像成房子,為訊息找到正確的位置吧!

畢業生出路調查

 練習一 〔辨認不同段落的資訊差異〕

第一部分和第二部分的主要差別是什麼？

    （A）圖表包含的科組不同

    （B）呈現的數據類型不同

    （C）畢業出路的類別不同

    （D）是否顯示個別的數據

提示：仔細觀察文章的兩個部分，試著找出一樣和不一樣的地方。

 練習二 〔根據規律完成樹狀圖〕

下列樹狀圖中的第一層是「第一部分、第二部分」；第二層是「機械科、電機科、汽車科、食品加工科」；請問第三層應該填入什麼內容比較恰當？

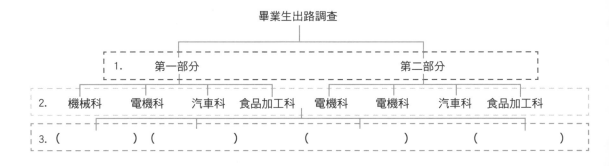

提示：這兩張圖都想要比較不同科組的什麼資訊？

下面兩張圖都是以文中的資訊所整理出來的樹狀圖。以下二人應該分別參考哪一種排列方式的樹狀圖？

（1）想要知道哪一個科別的升學率最高的校長
（2）想要知道自己機械科內畢業出路狀況的科別負責人

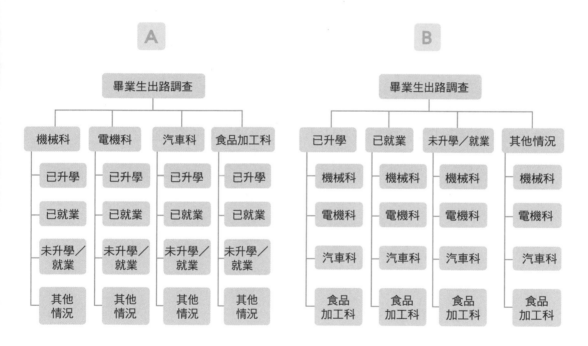

提示：試著用兩種角色的立場來閱讀，並記錄你閱讀圖表的過程。例如，想知道升學率高低的校長，如果使用 A 圖表，他會先看哪裡，再看哪裡？過程中會讀到哪些資訊？這些資訊對校長來說都有用嗎？

閱讀練習題 **08 用假設探索未知**

我們都是一家人：卑南族的「家」

❯❯ 練習一 〔觀察他人的假設〕

早期的學者根據什麼現象，而認為卑南族是母系社會？

（A）主要的勞動由女性負責，女性是從事生產工作的主力

（B）女性為部落中的首領，男性在部落中的地位較為低下

（C）男性婚後會被歸入妻子家中，財產繼承也以女性為主

（D）卑南族大部分的民族傳說中，女性都扮演創造的角色

提示：雖然學者的話是基於某種證據而做出判斷的，但是學者說的話不一定是正確的喔！

❯❯ 練習二 〔找出假設被推翻的原因〕

為什麼「卑南族是單純的的母系社會」這個論點會逐漸被推翻？

提示：想想看，「做出判斷」需要什麼？

❯❯ 練習三 〔重新假設〕

目前的學者如何理解卑南族的家庭關係？

提示：新的卑南族家庭關係難以用一個詞來概括，試著用簡短的文字說明吧！

用 AR 給朋友不一樣的
聖誕驚喜吧！

練習一 〔檢視想法的根據〕

根據「AR 的原理是什麼？」及「要準備什麼？」兩欄的資料，我們能否知道「紙膠帶」的用途？哪一項資訊能夠幫助我們確認紙膠帶的用途？

提示：分析自己知道的事情從何而來，有真實的支持嗎？或只是自己的猜想？

練習二 〔透過文本的資訊進行推論〕

下列哪一個情境不適合使用「Easy 玩 AR ！」APP 來實現？

（A）掃描煙霧，根據煙霧的形狀形成一條龍
（B）掃描電腦桌布，螢幕立刻出現當機畫面
（C）掃描特定商品包裝，會顯示商品內容物
（D）掃描電吉他，電吉他開始變成變形金剛

提示：仔細分析「奇幻聖誕樹」的流程，是不是暗示了 APP 有什麼限制？

練習三 〔為推論尋找對應的支持〕

承上題，試著從文中提供的資訊，解釋為什麼這個情境不適合使用「Easy 玩 AR ！」APP 來實現。

因為文章中提到 _____，　　　　　（文章中的訊息）

這個訊息暗示了：_____，　　　　（「Easy 玩 AR ！」APP 可能有什麼限制？）

上題情境中的效果是：_____，　　（想要達到的效果）

這個效果為什麼超出 APP 的限制：_____
_____，所以這個效果不適合使用「Easy
玩 AR ！」APP 來實現。　　（這個效果有什麼特性？為什麼超出了 APP 的功能？）

提示：先從文本中找出判斷上題的訊息，說明這個訊息提供什麼限制，然後說明情境所要達到的效果是否超出了 APP 的限制。

日本核能發展趨勢

練習一 〔觀察文本的主要內容〕

從下方的列表中選出本文提及的內容，並在表格中寫出出現的段落。

	日本核電發展的背景與計畫方向
	日本核電設施在 311 大地震時的損壞狀況
	日本 2019 ～ 2020 年的核電狀況
	日本對於核電發展的法規條文
	日本人民對於核電的看法與態度
	日本政府關於核電減少的替代能源方案
	日本 2020 年的核電事件與解讀

提示：提取段落大意，快速觀察文本的內容。

練習二 〔對文本的目的進行假設〕

下列何者比較符合這篇文本的目的？

（A）介紹日本核電的發展歷史　　　（B）說明日本核電現況和展望

（C）盤點日本地震造成的損害　　　（D）提出日本最好的能源政策

提示：根據文本的內容進行目的的假設！

練習三 〔為假設尋找對應的支持〕

承上題，從段落大意的分析結果和文中的訊息，找到資料來支持你的假設，寫出 100 字左右的論證。

_____

_____

_____

_____

_____

_____

_____

_____

_____

_____

_____

_____

_____

提示：仔細分析你的假設代表什麼，是一件事，還是兩件事？找出假設中的關鍵字，
再從文中找出與關鍵字有關的訊息。

聽線上音樂也會污染地球？

練習一 〔理解作者提出的論點〕

作者在本文中主要想要提出的論點是什麼？

（A）人類的科技比以前更不環保 　　（B）人類目前的科技還不夠環保

（C）人類的科技將會越來越環保 　　（D）人類的已無法阻止溫室效應

提示：注意影響結果的因素，例如：哪些事物影響了碳排放總量？

練習二 〔辨認能夠支持論點的訊息〕

承上題，下列哪一項訊息能夠證明這個看法？

（A）全球使用網路的人口已超過 40 億，每人平均一天花 400 分鐘上網

（B）1977 年，全球共消耗了約 5,800 萬公斤的塑膠材料來做黑膠唱片

（C）2000 年，全球共消耗了約 6,100 萬公斤的塑膠材料來製作 CD

（D）網路資料數據中心的碳足跡約莫占全球二氧化碳排放量的 2%

提示：哪些資料是為了證明這個看法？哪些資料則是為了讓你覺得「越來越嚴重」？

練習三 〔分析作者的驗證方法〕

本文作者使用什麼方法來證明自己的觀點？

（A）引用權威人士的言論 　　（B）搜集相關研究的數據

（C）以自己的經驗做舉例 　　（D）舉出他人的實際案例

另類出遊計畫

練習一 〔觀察圖表的主要內容〕

文中的表格有什麼功能？

（A）計算活動花費、列出所需物品

（B）列出所需物品、安排活動時間

（C）安排活動時間、確定人員分工

（D）確定人員分工、計算活動花費

提示：可以從最左邊和最上方的表格開始理解。

練習二 〔評論圖表的呈現方式〕

為什麼文中的表格要區分出綠色、藍色和橘色三種底色？

（A）為了讓圖表看起來更美觀

（B）可以區分不同性質的行程

（C）黃色是作者較喜歡的活動

（D）註明哪些活動嚮導會參與

提示：觀察底色依照什麼規則變化。

練習三 〔根據證據提出準則〕

承上題，從文本中找到資料來支持你的看法，並寫出底色變化的規則。

提示：哪些訊息可以歸納出規則。

電玩技能製作教程

練習一 〔對文本內容做出判斷〕

此技能不包含下列哪一種效果？

（A）對怪物造成一定傷害

（B）使怪物退後一定距離

（C）讓怪物暈眩一段時間

（D）將怪物擊飛離開地表

練習二 〔針對特定推論尋找可支持的證據〕

「『技能將怪物擊退一定距離』這個效果不在官方預設的遊戲功能中」，請從文本內容找出支持這句話的證據。

提示：這個教程主要是在說明什麼功能？

練習三 〔尋求外部資料來進行驗證〕

工程師認為：「目前的寫法會導致動畫卡頓不流暢。」下列哪一個資料能夠支持這句話。

（A）動畫是在一定時間內播放連續的圖片，使畫面看起來像在動一樣

（B）一秒內至少播放二十四張圖片，動畫才能夠達到基本的流暢觀看要求

（C）一般來說，在一定時間內播放的圖片越多，動畫看起來就越流暢

（D）電腦成像的原理和電影不同，因此同樣的張數會看起來較不流暢

提示：仔細分辨工程師寫的內容，找出能夠支持這個看法的資料。

助產士

 練習一 〔理解本文的主要意旨〕

下列何者是本文主要探討的議題？

(A) 醫療資源的城鄉差距
(B) 接生行業的經濟產值
(C) 嬰兒接生的技術進步
(D) 政策對助產士的影響

 練習二 〔理解文本敘述的方法〕

這篇文章是用什麼作為組織資訊的主要脈絡？

(A) 按照事件先後的順序
(B) 按照探究問題的思路
(C) 按照好處、壞處排列
(D) 按照證據的可靠程度

 練習三 〔對文本的風格進行評論〕

下列哪一個人對本文文字特色的看法比較合適？

(A) 貞貞：使用很多誇張華麗的字詞，讓整篇讀起來很有畫面感
(B) 阿軍：雖然批判性很強，但大部分都是作者自己情感的抒發
(C) 小玲：引用相關資料，能用相對客觀的資訊來支持自己論點
(D) 雲哥：引用大量數據，忠實呈現這些資料而不做自己的詮釋

新冠肺炎讓人憂鬱？

 練習一 〔判斷文本的體裁〕

這篇文本的功能應該更接近於下列何者？

（A）記錄一個事件 （B）抒發一種感受

（C）介紹一種知識 （D）分析一種現象

提示：注意作者的目的，選出最能涵蓋全文字詞。

 練習二 〔辨認文本中的主要內容〕

本文分別論述了哪兩個主題？

（A）心理疾病增加導致新冠肺炎流行；心理疾病者容易受到病毒的影響

（B）心理疾病者容易受到病毒的影響；新冠疫情會影響人們的心理健康

（C）新冠疫情會影響人們的心理健康；感染新冠肺炎者容易有心理疾病

（D）感染新冠肺炎者容易有心理疾病；心理疾病增加導致新冠肺炎流行

提示：統整前後兩部分的段落大意，區分「哪些是作者想證明的內容」、「哪些則是作者用來證明的說明」。

練習三 〔評估文本敘述脈絡對於文意的影響〕

如果作者將本文兩個論述的主題前後順序對調，對閱讀感受會產生什麼影響？

（A）破除「心理疾病者是肺炎高風險族群」的迷思，關注於保持心理健康

（B）讓人加深「心理疾病者是肺炎高風險族群」的印象，並可能產生成見

（C）強調新冠肺炎對世界的危害已不限於身心健康，還包含了社會與經濟

（D）翻轉因果關係，指出「心理疾病的盛行將導致新冠肺炎疫情更加嚴峻」

提示：兩個主題之間有一個關鍵句子，它會讓前後文的地位產生變化。

火災逃生計畫

〔理解字體富含的意義〕

作者利用什麼方式來讓讀者更快注意到標題？

（A）放大文字的大小
（B）改變文字的顏色
（C）調整文字的字型
（D）為文字畫上底線

練習二 〔辨認能夠支持論點的訊息〕

地圖中的逃生路線以什麼作為顏色區分的標準？

（A）火災起火地點的不同
（B）火災火勢大小的不同
（C）逃生出口類型的不同
（D）逃生人員年齡的不同

練習三 〔評估文本中圖像的功能〕

在文本下方，作者在「將逃生計畫張貼於明顯處」、「每六個月進行一次逃生
演練」、「確保家人知道火警報案程序」下方加入圖片，有什麼功能？

（A）讓讀者更容易理解資訊
（B）證明作者的做法是對的
（C）避免讀者誤解文字意思
（D）凸顯出比較重要的資訊

提示：試著把圖片遮起來，比較有圖和沒有圖的差異。

威廉布朗號事件

 練習一 〔分析文本中的立場〕

依照文中的三人對於事件的立場分成兩個組別，要怎麼分比較合理？

支持水手把乘客丟下海	反對水手把乘客丟下海

提示：標題的字和其他文字相比，有什麼不同呢？

 練習二 〔從相反的立場中尋找共通點〕

下列哪一句話會是小坤和小志都同意的？

（A）比起一般乘客，應該要優先保全船員

（B）為了某些利益，可以犧牲他人的利益

（C）船長與船員們當時面對的狀況很緊急

（D）無論如何都不應犧牲他人來保全自己

練習三 〔判斷並分析理由〕

你比較贊同誰的說法？試著說明你的理由。

國際掃盲日

練習一 〔理解作者、證明自己觀點的方法〕

作者以什麼理由來強調認為識字能力很重要？

（A）人類需靠文字進行學習與溝通　　（B）聯合國強制規定識字率的標準

（C）識字能力好能在考試中得高分　　（D）高識字率能提升國家經濟表現

提示：在文中找到這個觀點，然後在附近尋找因果句型。

練習二 〔辨認作者在文本中提出的觀點〕

這篇文章中指出「全球 15 歲以上人口識字率 86.48%」背後可能隱藏什麼問題？

（A）人類文明發展速度未達預期　　（B）聯合國數據可能有造假嫌疑

（C）人類不可能完全的消除文盲　　（D）無法顯示出落後地區的困境

提示：找到關鍵字，在同一段中尋找因果關係。

練習三 〔判斷作者的寫作立場〕

這篇文本的作者是站在什麼角度寫作、並對這個議題發表看法的？

（A）聯合國教科文組織的角度　　（B）國內學習弱勢學童的角度

（C）經濟教育發達地區的角度　　（D）經濟教育落後地區的角度

提示：想想作者說話的對象是誰？目標是什麼？跟各個組織或群體之間的關係是什麼？

竊賊

≫ **練習一** 〔理解故事的事件順序〕

文中四則故事發生的時間順序為何？

（A）第 2 則→第 1 則→第 4 則→第 3 則

（B）第 2 則→第 1 則→第 3 則→第 4 則

（C）第 4 則→第 1 則→第 2 則→第 3 則

（D）第 3 則→第 4 則→第 1 則→第 2 則

≫ **練習二** 〔辨別故事敘事的觀點〕

這四則故事中的主角依序分別是什麼身分或職業？

（A）屋主、竊賊、檢調人員、律師　　（B）屋主、屋主、醫護人員、律師

（C）竊賊、屋主、醫護人員、法官　　（D）竊賊、竊賊、檢調人員、法官

提示：從人物的言行舉止來判斷，哪些事是特定職業的人才會做的？

≫ **練習三** 〔辨別文中人物對主題的觀點〕

第 4 則故事的主角對「屋主殺死竊賊」的態度為何？

（A）屋主進行正當防衛，故不應將其移送法辦

（B）屋主防衛行為過當，應該接受法律的制裁

（C）屋主雖防衛過當，但情有可原應從輕量刑

（D）屋主防衛行為過當與否，應謹慎評估判斷

提示：可以從「他反對什麼」來推敲！

用電安全

練習一 〔從眾多文本中選擇有效的文本〕

住在澳門的小昆想要知道網路上買的 FASHION HAMMER 2 吹風機，是否能在自己所在的地區使用，他需要閱讀哪些文本？

（A）文本一、文本二
（B）文本二、文本三
（C）文本一、文本三
（D）文本一、文本二、文本三

提示：仔細閱讀題目的任務要求，找出必要的資訊。

練習二 〔統整多個文本形成推論〕

小志從網路上買了 FASHION HAMMER 2，結果發現與自己居住的地區用電規格不合，他可能忽略了哪一個因素？

（A）功率　　　　（B）電壓
（C）頻率　　　　（D）插座

提示：辨別文中資訊，是否有什麼模糊不清的地方？

練習三 〔透過文本學習解決實際問題〕

住在臺灣的小勻想要一邊看電視一邊用 FASHION HAMMER 2 吹頭髮，所以使用一條能夠承受 12 A 電流的延長線，請問會發生什麼事？

（A）吹出的風會特別強勁　　（B）吹風機將會故障燒掉
（C）延長線會熔斷而斷電　　（D）小勻能正常的吹頭髮

提示：根據文中的公式來計算，注意：哪些數值是固定的？

向自然學習：海洋仿生學

練習一 〔根據文本訊息形成理解〕

為什麼鯊魚泳衣早在 1999 年已經問世，但直到 2009 才被國際泳聯禁止使用？

提示：仔細閱讀題目的任務要求，找出必要的資訊。

練習二 〔比較文本資訊與外部資訊的差異〕

「鎖子甲」又稱為「鏈甲」，是一種古代戰爭的防護用具，顧名思義，它以鎖鏈所製成，可以理解為「以鐵鍊編織的衣服」。鎖子甲比起一般的鎧甲有更高的靈活度，但又比普通衣物有更好的防護力，是一種介於重裝鎧甲與布、革戰鬥服之間的服裝。

上方為一段關於「鎖子甲」的介紹文字，根據上文，它與本文中提到的「石鱉盔甲」有什麼異同？

提示：列出兩種事物的特性，就能一目了然。

練習三 〔透過文本資訊連結經驗與探索新知〕

你還知道哪些「仿生學」的例子？回想一下，或利用網路搜尋，試著找到下列資訊，並寫成 100 字左右的簡短說明：（1）這個科技或發明是什麼？（2）它從自然界的什麼生物得到靈感？（3）它的原理和功能是什麼？

提示：可以利用網路的「關鍵字」搜尋來尋找資料，本篇的關鍵字是什麼？

窮人

練習一　〔理解故事中人物的性格〕

故事中的桑娜是一個怎麼樣的人？

（A）充滿愛心，且開朗樂觀

（B）心地善良，但缺乏自信

（C）自私冷漠，但忠於家庭

（D）喜歡欺瞞，且不肯認錯

提示：觀察桑娜的舉止，還有她內心的思考。

練習二　〔分析文中景物的深度意涵〕

故事開頭寫道：「屋外寒風呼嘯，海上正起著風暴，外面又黑又冷，這間漁家的小屋裡卻溫暖而舒適……」作者想要透過這些景象傳達什麼？

（A）桑娜一家雖然生活貧困但仍然溫暖善良

（B）漁夫的性格有如海上風暴，殘忍又暴躁

（C）跟都市人相比，漁村居民更加淳樸親切

（D）桑娜一家在鄰居中是最注重物質生活的

提示：需要根據整篇文章所傳達出的意思來解讀。

練習三　〔尋找類似的經驗並進行反思〕

故事中的桑娜與漁夫雖然家境並不寬裕，但對於需要幫助的他人仍然樂於伸出援手。在你的生命經驗中，是否也有類似的人或聽過相似的故事？你認同這種作法嗎？為什麼？

提示：除了贊成或反對的答案外，試著思考你自己對這件事情的想法吧！

武林盟主——金庸

練習一 〔擷取訊息〕

作者認為，現在的青少年主要透過什麼方式初識「武俠」？

（A）紙本小說　　　（B）電子書籍　　　（C）手機遊戲　　　（D）電視電影

練習二 〔擷取訊息〕

哪一個人不是新派武俠的代表作家？

（A）金庸　　　　　（B）古龍　　　　　（C）梁羽生　　　　（D）還珠樓主

練習三 〔發展解釋〕

根據作者的觀點，下列哪一句話會是他比較同意的？

（A）舊派武俠的故事情節比新派武俠更加精彩
（B）新派武俠的人物比舊派武俠更有「人」味
（C）新派武俠所使用的語言比較具有古典特色
（D）舊派武俠作家的才華比不上新派武俠作家

練習四 〔廣泛理解〕

作者認為金庸之所以被譽為「武林盟主」，原因是什麼？

（A）金庸是最早開始創作武俠小說的作家　　（B）金庸是寫作最多武俠小說作品的作家
（C）金庸創作的作品內容深刻，影響力大　　（D）金庸的文筆最好，故事情節最為精彩

練習五 〔文本形式〕

作者用什麼方式來證明「金庸小說有豐富的思想內涵」？

（A）引用他人的評論（B）詮釋作品並舉例（C）列出研究的數據（D）比較不同的作品

風有多快？

練習一 〔擷取訊息〕

蒲福氏風級最初的觀測依據是什麼？

（A）以儀器測量真實的風速　　　（B）計算溫度、氣壓等條件

（C）觀察船隻航行的加速度　　　（D）觀察實際事物型態變化

練習二 〔廣泛理解〕

何者是「定性尺度」相對於「定量尺度」的優勢？

（A）能更簡單的應用且更容易理解　（B）能表示不同級別間的具體差別

（C）能方便以數學計算來進行推論　（D）能精準記錄以方便建檔與比較

練習三 〔發展解釋〕

為什麼人們最初不使用「公里／小時」或「節」來表示風的速度？

（A）當時尚未有定量尺度的概念　　（B）蒲福式風級的描述更為準確

（C）當時測風儀器的精準度太低　　（D）當時的風還沒有現在這麼大

練習四 〔發展解釋〕

1 海里的長度與幾公里最為接近？

（A）1公里　（B）2公里　　（C）3公里　　（D）4公里

練習五 〔文本內容〕

下列哪一個問題適合使用「定性尺度」測量？

（A）廚師：「這盤菜用了多少油？」（B）建築師：「這棟大樓有多高？」

（C）牙醫師：「現在牙齒有多痛？」（D）裁縫師：「你的腰圍是多少？」

大排「長榮」誰負責？

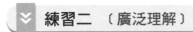 練習一 〔擷取訊息〕

長賜輪失去控制而擱淺的外在因素是什麼？

（A）撞上海底礁石　　　　　　　（B）遭遇強風吹襲
（C）地震引起巨浪　　　　　　　（D）受到戰火波及

練習二 〔廣泛理解〕

本文的前三段主要在說明什麼？

（A）長賜輪的擱淺、脫困經過與影響
（B）長賜輪擱淺事件的賠償談判過程
（C）對擱淺原因的調查與相關的證據
（D）各方對於該事件責任歸屬的看法

練習三 〔廣泛理解〕

為什麼長榮海運不是這次事件的主要負責單位？

（A）長賜輪是長榮租賃給正榮汽船的營運船隻
（B）長賜輪及其貨物皆投保了鉅額的意外保險
（C）長賜輪的財產與營運皆非長榮所有或管理
（D）長賜輪乃因錯誤的引導才進入蘇伊士運河

練習四 〔文本內容〕

下列哪一條航線的貨輪會受困在這次「大排長榮」的船陣中，被迫等待或改道航行？

（A）由新加坡開往東京　　　　　（B）由波士頓開往倫敦

（C）由洛杉磯開往高雄　　　　　（D）由里斯本開往孟買

 練習五 〔文本形式〕

下列對本文寫作架構的描述何者較為適當？

（A）本文依據一條清晰的時間線書寫，根據事件的先後順序來安排文本資訊

（B）本文可分為兩部分，前面寫船隻受困事件經過，後半段寫賠償談判經過

（C）本文目的在於評論時事，除了敘述事實，作者也發表許多對事件的看法

（D）本文對於資料的引用非常講究，每一筆資料都有確切數據與資料的出處

 Note

獵戶座變暗事件

練習一 〔廣泛理解〕

為什麼作者說希臘神話中，獵戶座與天蠍座仇深似海並非「憑空捏造」？

（A）希臘人的天文學知識並非獨創，而是繼承自巴比倫人

（B）希臘人創造了許多動人美麗的神話來解釋星星的運行

（C）希臘人觀測到天蠍座與獵戶座不會同時出現在夜空中

（D）希臘人觀測到獵戶座弓箭所指的地方就是天蠍座所在

練習二 〔廣泛理解〕

作者建議讀者，在夜空中尋找獵戶座的第一步是什麼？

（A）找出參宿四　　　　　（B）找出金牛座

（C）找出獵戶座腰帶　　　（D）找出冬季大三角

練習三 〔廣泛理解〕

下列何者不是因參宿四變暗而感到恐慌的人所具備的知識？

（A）參宿四是一顆正邁向生命末期的紅超巨星

（B）紅超巨星死亡的時候將會發生超新星爆炸

（C）超新星爆炸會釋放能量巨大的射線和粒子

（D）地球在參宿四超新星爆炸的危險範圍之外

≫ 練習四 〔擷取訊息〕

什麼原因造成 2019 年底參宿四的亮度突然變暗？

（A）參宿四即將要發生超新星爆炸
（B）星塵阻擋於參宿四與地球之間
（C）參宿四正在逐漸加速遠離地球
（D）地球自轉造成的季節更迭變化

≫ 練習五 〔發展解釋〕

下列何者是獵戶座？

（A）

（B）

（C）

（D）

吃對海鮮四原則

練習一　解答：8 個

根據提示中：「自然段以『換行、空兩格』的方式做區分。」可以發現，文中有 8 個自然段。

練習二　解答：增加／食物／進步／不再珍惜／濫捕／臺灣四面環海

說明：你可以從本文的第一段中找到答案：「隨著地球人口的（A）增加，人類需要更多的（B）食物；捕撈技術的（C）進步，讓人類有能力大量捕捉海中生物；同時生活條件的提升，讓人類（D）不再珍惜手中的資源。漸漸的，海中的生物因為我們的（E）濫捕而耗竭。（F）臺灣四面環海，餐桌上常出現各種海鮮料理，如何選擇對海洋友善的海鮮是身為臺灣人應該具備的常識。」

練習三　解答：正確：可以減少對海中食用魚類的捕撈／
　　　　　　　　　不正確：養殖魚所吃的飼料是下雜魚和魚粉

說明：根據本文，養殖魚有許多魚種，有些魚種成長快，有些成長慢。如果選購成長快、對飼料依賴較少的魚種，就可以減少資源的消耗。但如果選擇成長慢的養殖魚種，雖然能減少直接從海洋捕撈魚類，但會消耗許多的下雜魚和魚粉，一樣會大量使用到海洋資源。

阿志的反省日記

練習一　解答：A：一整天有好多考試，想放鬆一下
　　　　　　　　　B：不會利用時間
　　　　　　　　　C：「我」的心情寫在臉上

說明：
（A）根據「昨天有好多考試，原本想在放學後，打個電動放鬆一下」可以得知。
（B）根據「好煩啊！為什麼大人們總是要我們去做我們不想做的事？還說我不懂得利用時間？」可以得知。這句話是作者抱怨爸爸說話的內容，「不懂得利用時間」則是爸爸對作者的批評。
（C）根據「可能是情緒還寫在臉上吧！老師看到我就問我怎麼了？」可以得知。

練習二 解答：缺乏溝通

說明：根據本文，老師說：「你是不是覺得寫了一天的考卷，很累，所以想休息一下？可是你沒有說出來，你爸爸怎麼會知道呢？」又說：「缺乏溝通的話，很容易發生爭執的。」可以得知老師認為衝突的原因是雙方沒有正確溝通。

練習三 解答：（A）

說明：圖中上下左右四個方向分別代表的「『我』想做」、「『我』不想做」、「爸媽不希望『我』做」、「爸媽希望『我』做」的事情，而距離代表希望的程度，越接近上方，代表「『我』越想做」。由此我們便可以把「我想做的事」做一個優先順序的排行，由「想要」到「不想要」分別是打電動、打球、讀書、欺騙同學。

地震須知

練習一 解答：標題、底色

說明：文本從上到下可以分成三個大區塊，這三個區塊中分別又有二～三個區塊。大區塊可以從「災前」、「災時」、「災後」這三個大標題，以及綠、紅、黃三個底色來區分，透過這些醒目的訊息，可以幫助讀者快速掌握閱讀的順序和邏輯。

練習二 解答：（B）

說明：「災前」的第一項為「確認住屋風險，事先固定家具重物」，而圖示中畫的是一枝鎚子和一個放大鏡。鎚子經常用於修理、敲打釘子，而放大鏡用來觀察細微的事物，因此可以推測這張圖示在強調「固定」和「檢查」兩項訊息。

練習三 解答：紅綠燈；危險程度的不同；不同的危險程度

說明：根據文本內容的敘述，「災前」、「災時」和「災後」的危險程度分別是「災時」大於「災後」大於「災前」，而作者分別使用了「紅」、「黃」、「綠」來代表它們，如同我們在路上常見的紅綠燈，紅燈代表禁止通行，若通行很有可能會發生危險；黃燈代表注意，須小心通過，否則也會發生危險；綠燈代表可通行，危險程度最低。

杜子春與老人

練習一 解答：A 是造成 B 的原因，B 是 A 的結果。

說明：根據本文，杜子春年輕時遊手好閒，不事生產，最後花光家產積蓄，走投無路之下，只得投靠親戚朋友、尋求援助。

練習二 解答：（C）

說明：根據本文第七段：「落魄的杜子春在相同的地方遇見老人，因為太過羞愧，他不敢面對老人，急忙掩面而走」可以得知。其他選項在文中都找不到可支持的線索。

練習三 解答：親朋好友。親朋好友因為杜子春的行為而離他而去，老人則一再幫助他。

說明：根據本文第七段杜子春內心的思考：「我的親朋好友都棄我而去，只有這個老人願意幫助我，我要怎麼做才能對得起他？」可以得知發現杜子春將老人與親友做比較，親友棄他而去，而老人始終幫助他，寬恕他的頑劣。

生殖健康和性別平等有什麼關係？

練習一 解答：（C）

說明：本文第 1 段提到：「認為人人都生而平等且自由，但這樣子的自由往往只限於男性擁有，如啟蒙時期的重要思想家洛克（John Locke）就認為……」可以作為本題的佐證。作者舉出洛克「女人的財產屬於他人」的言論，來強調男女平權的觀念在當時尚未落實。

練習二 解答：（A）

說明：根據本文第四段：「而 GII 主要做三個領域的評估，其中一項就是『生殖健康』，而其餘評估的項目，則是前面提到的工作權、受教育權還有參政權。」可以得知，GII 是一個總體評估項目，評估包含生殖健康、工作權、受教育權還有參政權。另外根據第六段：「GII 選用『孕產婦死亡率』、『未成年生育率』作為『生殖健康』的評估。」可以得知，生殖健康下面包含二個評估項目：孕產婦死亡率和未成年生育率。綜合起來，便可以得出（A）的答案。

解答：表一補充說明表二排名的內涵，表二總結了表一數據在世界排名的狀況。

說明：表一是臺灣 GII 指標的評估狀況，表二則是臺灣在國際間的排名，前者是微觀的、細節的，雖然知道具體的數字，但看不到與他國的比較，不知道這樣的數字表現是好還是不好；後者是宏觀的、粗略的，雖然能知道自己在國際排行的狀況，卻不能知道具體的狀況及各指數內涵，也不能進一步討論改進的策略。因此兩張表能夠互相補充，表一補充了表二的細節，表二總結了表一的意義。

登山意外誰的錯？

練習一 解答：（B）

說明：根據本文，ANN 的立場是「登山客要為自己的安全負責」，沒有深入討論，綜觀文中其他留言者的留言，LISA 站在相反立場，認為政府有義務保護國民；WENDY 的立場則比較中立，認為防範意外發生，應從教育著手；ALINE 是針對 KUCCI 的發言態度做回饋；YAO 則陳述美國的案例，並沒有表達支持或不支持。只有 KUCCI 明確的表達反對救援的立場。

練習二 解答：KUCCI

說明：ALINE 雖然沒有直接標註及指名 KUCCI，但可以透過「請理性討論，盡量不要情緒性發言。」及此人有「惡毒的批評」，可得知是回應 KUCCI 的情緒性言論「真是活該！這些人真的應該從世界上消失！」。

練習三 解答：（C）

說明：根據本文，LISA 認為政府有義務確保國民的安全，並列舉設置告示牌、封山等作法，以減少意外的發生。WENDY 則提出應該提升國民戶外教育觀念，除了可以減少危險發生，並且還能讓人們親近大自然，且減少景觀的破壞。可以發現，在「強調預防危險」上，兩人的意見是一致的，只是做法不同。

防禦駕駛

 練習一 解答：介紹「防禦駕駛」的概念定義與實際作法

說明：本題需要思考動詞與名詞之間的搭配。「介紹」的意思是「讓他人認識新的事物」，「批評」是「對事物提出主觀的見解，表達對於事物的看法」，「分析」強調「針對事物的一個或多個面向，進行深入的探究，以對事物整體提出結論或採取行動」，「反思」則是「對事物進行反向思考，探究事物完整的可能性」。從本文「究竟什麼是防禦駕駛？」一句及後面的介紹資訊，可以知道作者預設讀者對於「防禦駕駛」的觀念較不熟悉，而從基本的概念定義和實際做法來介紹，幫助讀者建立對於防禦駕駛的基本概念。

練習二 解答：（C）

說明：根據文本，本文的主要問題在於「什麼是防禦駕駛？」，並說明其與「安全駕駛」的差異。透過六個框格內容的介紹，讀者能夠理解防禦駕駛的基本內涵，並知道它比起安全駕駛更強調避免自身發生危險。其他的選項雖然根據本文內容都是正確的敘述，卻不能回答本文開頭提出來的問題。

練習三 解答：提示閱讀順序；讓讀者照著順序閱讀

說明：箭號代表「方向」，因此帶箭號的線條往往代表「順序」。箭號的起點就是第一個閱讀的框格，以此類推。如果將文中的灰色箭號移除，那麼閱讀的順序就沒有那麼清晰了，可能有人會習慣「先讀左邊、再讀右邊」或「先讀上面、再讀下面」，這樣一來閱讀的順序就不一樣了。

動物權是什麼？能吃嗎？

練習一 解答：BHEDA

說明：本文有五個段落，每個段落各自有不同的主題內容。作者先透過鸚哥魚、鯊魚等例子，說明這是大部分人對於動物權的認識，接著把話題轉向主題：常見的食用動物，提出「人道宰殺」的觀念。第三段開始，介紹人道宰殺的具體做法和標準，而關於人道宰殺的原理，則在第四段透過朱立安・巴吉尼的著作來補充。最終，作者將筆鋒拉回生活，呼籲我們從身邊開始關心動物權，例如流浪動物議題等。分析段落大意的時候，不妨可以先試者寫下來，再一一檢查、修正。

練習二 解答：（C）

說明：根據本文，作者承認目前社會對於動物權的看法，還無法讓動物不被宰殺，但透過一點點觀念的改變，取得目前普遍可接受的平衡是可行的。也許我們還不能放棄吃肉，但不棄養、不虐待動物，也是關懷動物的表現。文中提及的著作只是作者佐證的工具，而動物復育一事，文中則完全沒有提及。

練習三 解答：（B）

說明：作者引用朱立安・巴吉尼的著作，指出人道宰殺的原理，也給出了對於「痛苦」和「折磨」的定義。但因為這兩個概念比較抽象，作者又舉出「針扎」的例子來說明，因為針扎是大部分人能夠想像的經驗，能夠幫助讀者理解全新的概念。

手機成癮

練習一 解答：（B）

說明：本文的主題是「手機成癮」，文中列舉了兩種人——臺灣年輕人和香港學童——來說明，分別提出「使用手機上網情形」、「沉迷網路自我評估」、「使用手機時間」、「持有手機比例」等數據，這些數據都能看出手機成癮的狀況。作者的行文也著重在現有數據的解讀，沒有提出手機成癮的原因、解決問題的方法，也沒有對於沉迷手機這件事有主觀的批評。

練習二 解答：（C）

說明：本文提出「使用手機上網情形」、「沉迷網路自我評估」、「使用手機時間」、「持有手機比例」等數據，讓讀者了解手機成癮的狀況。但無法比較兩地的數據，僅能得知手機持有率與成癮情形可能有關。

練習三 解答：不是；與整個圖形的比例不符；凸顯數據之間的落差

說明：本圖表在繪製上使用了剪裁的方法來凸顯數據。觀察後可以發現，兩個資料有約 20% 的數字落差，但在圖表長度上的落差約三～五倍，也就是說，若是完整 100% 的圖表，應該是現在的三～五倍長，超出了圖形的範圍。作者其實是特意將圖表放大，然後擷取某個部分來呈現。試想，如果放入完整的圖表，雖然可以看見正確比例，但卻無法表達作者刻意強調數據之間的差距，也無法讓人覺得：這兩個年齡段的數據相差好多喔！

對話裡的偏見

⟱ **練習一**　解答：外籍移工、女性、原住民

說明：本文是一篇故事，透過日常情境表現出生活中常有的偏見與歧視情形。故事中羽綸、浩翔對於家中外籍移民工作者的工作內容、文化、宗教信仰等發表偏見的看法，甚至嘲笑，最後還開原住民同學的玩笑，是相當不適當的行為。此外，從羽綸轉述羽綸爸爸的談話中，也可以看出爸爸對於「女人、母親」角色的既定看法，這在目前的社會中都是值得被討論與反省的議題。

⟱ **練習二**　解答：個人外表、工作內容、宗教文化

說明：本題需要從連續的情節中歸納人物討論的內容。當浩翔以幫傭的外表詢問羽綸時，羽綸表現出不自在的樣子，而在故事最後，三人同時嘲笑較深膚色的同學與外傭相像，是為「個人外表」。外籍幫傭與外籍看護的工作職責不同，但純亨卻說：「不都是傭人嗎？不就是叫她幹麼她就要幹麼嗎？」可以看出對於「工作內容」的偏見。最後三人也對宗教信仰中的飲食禁忌、服裝打扮表示不解與嘲弄，則是對「宗教文化」的偏見。

⟱ **練習三**　解答：第一部分（1-2 段）：D、第二部分（3-14 段）：A、
　　　　　　　　第三部分（15-17 段）：C

說明：從「說故事」的角度來看，本文透過主要三個角色——羽綸、浩翔、純亨——的對話，反映出許多人對於特定族群的偏見。三人討論的部分在本文中段，占極大的篇幅，是故事為了闡述主題「對話中的偏見與歧視」的主要情節。文本開頭以「幫傭幫羽綸送便當」這個事件讓故事得以開展，而最後則以三人對原住民同學語屏的嘲笑結尾。值得注意的是，故事中最主要探討的是對外籍移工的偏見，但在最後作者把焦點轉向了語屏，也就是原住民族的議題上，讓本文從「探討對單一族群的偏見」，延伸到了「偏見與歧視在生活中時時可見，而且發生在許多族群身上」。

生涯彩虹圖

⟱ **練習一**　解答：（C）

說明：「生涯彩虹圖」對許多讀者來說是相對陌生的圖表。這張廣告傳單也預設了讀者是對於生涯規劃還沒有深入了解的一般大眾。因此在第一頁放上一張生涯彩虹圖的範本，並在下方以文字說明圖形的構成。段落中針對圖表的一些特徵進行說明，目的在於幫助讀者理解圖形的意義。

解答：填滿圖形的顏色、所在圓圈的層數

說明：根據左頁的範本與說明，我們可以發現，生涯彩虹圖的每一個半圈代表一種角色，由左到右順時針則是年齡，圖形的長度代表某個角色的出現和結束時間，填色的寬度代表這個角色在特定年齡時的重要性。而顏色雖然沒有明說，但透過右頁可以發現，圖中的角色是依據個人生命歷程而調整的，因此沒有固定的角色，也就沒有固定的顏色，顏色的功能僅在醒目與方便區分。

解答：

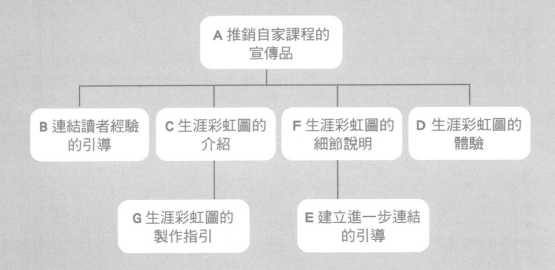

說明：本題可以從最高層的 A 開始著手。A 是最高層次的概念，只有一個，涵蓋其他六個概念。觀察本文的內容與形式，可以知道本文是一個廣告傳單，即是「推銷自家課程的宣傳品」，因此放在 A。而傳單由許多部分的組成，可以透過色塊簡單的區分，第一頁上方底色區塊先引導讀者與本文主題發生連結，讓讀者往下閱讀；接著提供圖示和文字介紹生涯彩虹圖；第二頁則提供自己畫出生涯彩虹圖的體驗，最終在下方底色區塊引導讀者聯繫廠商。因此 B、C、D、E 也完成了。最下層的資訊代表細節，在生涯彩虹圖的介紹和體驗中，分別有細節說明、製作引導等內容，幫助讀者理解概念或完成操作。

認識臺灣原住民族的命名方式

練習一　　解答：「有以氏族名命名」和「沒有以氏族名命名」

說明：題幹已明確說明小昆分類的原則為「命名方式的不同」，所以本題應該要從命名方式來分析。可以先列出所有族群的命名方式，然後找出（1）、（2）同一類中都有的，但另外一類都沒有的命名方式。就可以發現，小昆是依據「是否以氏族名命名」來做劃分。

練習二　　解答：規則的代表族群、命名的規則結構

說明：可以把這些概念帶回文本中，把各種命名方式有的概念標記畫出來。「氏族名制」並沒有名字的實際舉例，而「親從子名制」則沒有提到例外的情形。

練習三　　解答：（C）

說明：這題需要讀者為文中資訊找到更高層次、更抽象的概念。本文介紹了四種命名方式，而這些名字通常與自己的親人、家族、世族有關，顯示原住名族的命名強調整個族群、族裔的傳承。這其實是目前大部分文化中姓名的特色，例如漢名中有「姓」，英文名中的「Last Name」，都是傳承自家族或親人的姓。其他的命名方式也不難想像，例如我們將某一個物品命名為「電腦 001 號」，這個命名就強調了它在整體中被管理的角色；服兵役的時候，每個人會被賦予一個兵籍號碼，這相當於他在軍隊中的名字，更是強調：這個人是屬於群體的一個表現。

參考資料

鐘聖雄：〈沒有名字的人〉，鏡週刊，2017 年 10 月 2 日，取自：https://www.mirrormedia.mg/projects/real-name

呂敏慈：〈別再問原住民「姓什麼」啦！揭秘各族命名規則：報上名來就知道你住哪、爸爸是誰〉，風傳媒，2019 年 10 月 27 日，取自：https://www.storm.mg/lifestyle/2051153?page=1

郭柏均：〈我的名字我作主〉，原視界，2020 年 6 月 16 日，取自：https://insight.ipcf.org.tw/article/291

警察與讚美詩

練習一　解答：

過冬方案	優點	缺點	需要做什麼
接受慈善機構救濟	不用付錢	需要接受精神屈辱	——
被關進布萊克韋爾島監獄	不用付錢	——	犯罪被捕

說明：表頭有三個項目：優點、缺點與要做的事情，讀者可以在文中尋找對應的訊息填入。根據本文第三段：「從這些機構接受好處雖然不用付錢，卻會受到精神的屈辱。」可以得知索比不接受慈善機構幫助的理由，而選擇犯罪被逮捕，好入獄過冬。

練習二　解答：

（嘗試／事件）	（計畫／想法）	（結果／下場）
第一次嘗試犯罪	吃飯不付錢	被領班侍者看穿
第一次嘗試犯罪	打破櫥窗玻璃	警察不覺得他是嫌犯
第三次嘗試犯罪	偷別人的傘	傘的主人也拿了別人的傘

說明：故事中索比的三次嘗試相當精彩，索法千方百計想要犯罪被捕，但在過程中都因為種種原因而失敗。頭一次是意圖被識破，第二次則因為表現反常，不像個嫌疑犯而被誤會，第三次則歪打正著，偷竊的對象正好也不是傘的主人。整理這些資訊能幫助我們更理解故事的內容和索比的心境。

練習三　解答：

情節發展	空間	索比的心願	心願是否達成
開頭	麥迪遜廣場	在監獄度過冬天	否
第一次犯罪	百老匯大街／餐館		否
第二次犯罪	第六大街／玻璃櫥窗		否
第三次犯罪	雪茄店		否
結局	麥迪遜廣場	找份工作	否

我認為，作者透過這篇文章想要傳達：
命運的荒謬與無奈／社會對流浪漢的刻板印象／索比真的很倒霉

說明：本文最後索比已經放棄了入獄的念頭，而想要重新回到社會，勤奮工作。然而命運弄人，當他有這個想法時，卻因為逗留在教堂周圍而被逮捕。本表的重點在於「索比的心願是否達成」一欄。可以發現，作者安排索比嘗試一切辦法、擁有許多希望之後，最後全部落空，藉此傳達人生常常事與願違，命運之神似乎總是在跟自己作對的荒謬與無奈。

節能建築

▼ **練習一**　解答：（B）

說明：意義段就是文本中的幾個主要概念。本文在開頭有一段文字，後來以 A、B、C 的小標題區分意義段，分別說明「節能建築的起源與目的」、「方法 1：善用地形座向」、「方法 2：適當開口大小」和「方法 3：選擇隔熱材質」等內容。

▼ **練習二**　解答：

意義段裡面有的上位概念	意義段 1	意義段 2	意義段 3	意義段 4
現代人開始重視節能減碳的原因				
現代居住環境會越來越熱的原因				
被動式建築所要達到的環境標準	V			
某個節能策略能降溫的基本原理		V	V	V
某個節能策略現實中的應用舉例		V	V	V
某個節能策略能有效節能的標準			V	V
某個節能策略可能會產生的壞處				V
某個節能策略在臺灣使用的建議				V

說明：本題須一一判斷每個概念是否存在於不同的意義段中。意義段 1 主要在說明節能的重要，以及被動式建築所要達到的環境標準；意義段 2、3、4 則介紹被動式建築節能方法，不過介紹的內容略有不同。「善用座向」中沒有提到具體的數字標準和壞處，也沒有針對臺灣的環境做一些實務上的建議。「開口座向」段則提到具體的數字：「一般住宅適宜的開口率以不超過 30% 為佳，辦公大樓則以不超過 40% 為佳。」

▼ **練習三**　解答：

意義段	介紹的內容	基本原理	應用實例	具體標準
2	基地與座位	減少日光直射	開口背向陽光；坐南朝北	——
3	開口設計	減少日光直射	減少房屋開口；百葉窗、陽臺等窗口隔熱設計	開口面積：住宅不超過 30%，辦公室不超過 40%；能隔絕 50% 以上熱能
4	材質選用	減少熱能吸收	淺色、太陽反射率高、導熱係數低的材質；植被	U 值小於 0.6

說明：本題沒有統一的標準答案，參考答案是依據（1）「項目之間能夠互相比較」和（2）「表格的內容能夠盡可能填滿」兩項標準來設計。這份表格的主要用意是比較不同隔熱措施的原理和標準，幫助我們在進行這些隔熱處理時，能更快速的掌握資訊。繪製表格時，不要忘了想一想：我要用這張表格做什麼？我要設定哪些標準？文本中有沒有足夠的資訊？

網頁流程圖

練習一 解答：

框線樣式	圖案形狀	（圖案底色）
（實線框）	（矩形）	白色
		黃色
	橢圓形	白色
	（六邊形）	白色
（虛線框）	矩形	白色

說明：這篇文本與大部分人的閱讀經驗有很大的差別，是一個複雜的系統流程示意圖。可以先從「起始頁面」開始，逐一閱讀，歸納出每種圖形的意義。本題題幹的表頭提供了解題的線索，讀者可以先根據框線樣式，將圖形區分成兩類；然後依序根據形狀、底色做區分。完成後，對於接下來的理解有很大的幫助。

練習二 解答：

圖形	是人為還是系統做的？	是什麼動作？
實線矩形	■人為 □系統	□判斷 ■執行或操作
實線橢圓形	■人為 □系統	■判斷 □執行或操作
實線六邊形	□人為 ■系統	■判斷 □執行或操作
虛線矩形	□人為 ■系統	□判斷 ■執行或操作

說明：我們可以發現，矩形框內的內容都是「做某某事」，而實線與虛線的差別在於「做這件事的人不一樣」。實線矩形框中有「點選『重設密碼』」、「輸入密碼」等訊息是給「人」操作；虛線框中則包含「顯示自設問答」、「寄送驗證碼」等，是電腦系統反應。而圓形框和六邊形框，則都有「某某是否正確或符合」的內容，而其後又都有兩條路線，因此可以推測這兩種圖形的功能是「判斷對錯」。不過兩者還是有差別的，圓形的問題是對著人問：「你記得密碼嗎？」「你要繼續嗎？」而六邊形的問題則是對著電腦問：「他輸入的密碼正確嗎？」「他輸入的次數超過三次嗎？」可以知道前者是人為的判斷，後者是系統的判斷。

練習三 解答：

線條顏色	意思
藍	進入下一步
綠	判斷為「是」
橘	判斷為「否」

說明：觀察所有箭號的起點、終點與顏色，可以有以下發現：（1）紅色與綠色箭號都從圓形或六邊形出來，而且每一個圓形或六邊形，都一定會有從該圖形發出的一個紅色和一個綠色箭號，不會有只出現其中一個的情況。（2）藍色箭號一定是從矩形發出來的，不管是實線矩形或虛線矩形。可以推測：藍色箭號是「執行矩形內的動作後，進入下一步」，而紅色和綠色箭號，則是判斷的結果。再從「是否記得密碼」的判斷格來看，綠色箭號指向「輸入舊密碼」，橘色箭號指向「點選『忘記密碼』」，可以推測：綠色代表「是」（記得密碼），橘色代表「否」（不記得密碼），以其他的判斷格來驗證，也會得到同樣的結果。

社群媒體之戰！我們是用戶還是商品？

練習一 解答：

句子	判斷
另類選擇黨成功的關鍵，在於他們創立的社群平臺。	觀點
大衛 · 艾爾利希於知名電影評論網站 IndieWire 為這部片打了 B ＋ 的分數。	事實
乍看之下得到免費服務的用戶，其實是在把自己賣給了社群軟體。	觀點
對於《智能社會》的批評，Facebook 發出七點聲明駁斥。	事實

說明：事實與觀點的主要區別在於，事實是一件能夠透過證據證明真實發生過，且符合客觀定義的事。分析「另類選擇黨成功的關鍵，在於他們創立的社群平臺」這句話，如果說「另類選擇黨成為德國第三大政黨」，那它就是事實，但因為每個人對於成功的定義不一樣，所以很難說「另類選擇堂成功」是一個事實。句子的另外一句話：「他們創立了社群平臺」也是事實，但「另類選擇黨成功，是因為他們創立社群平臺」則屬於作者主觀的判斷，將另類選擇黨的崛起歸功給社群平臺，這就不是事實。同樣的「得到免費服務的用戶，其實是在把自己賣給了社群軟體」這句話，也是影片導演對於社群軟體與客戶關係的看法，屬於觀點。「大衛 · 艾爾利希給這部片 B ＋的分數」是發生過的事實，而「這部片是 B ＋水準」則是艾爾利希對這部影片的觀點。依此類推，Facebook 確實發表了七點聲明，也是一件事實。

練習二 解答：（C）

句子	提倡者
你沒有花錢買產品，那你自己就是產品。	《智能社會》片
《智能社會》片試圖談論很多主題，並且說明社群軟體所產生的負面後果。	大衛 · 艾爾利希
Facebook 充斥新冠肺炎的錯誤訊息，使影片中的議題受到國際重視。	作者
《智能社會》片的導演用煽情的手法來證明自己的觀點。	Facebook

說明：本篇文本引用了許多資料來源的意見，在閱讀時，要清楚分辨看法的提出者，哪些是作者的想法？哪些只是作者的轉述？根據本文：「紀錄片《智能社會：進退兩難》以聳動的口號『你沒有花錢買產品，那你自己就是產品』。」可以得知這句話是紀錄片團隊的觀點。「《智》片試圖談論很多主題，並且說明社群軟體所產生的負面後果。」這句話出自大衛 · 艾爾利希之口，且作者只是轉述，並沒有多加評論，所以為艾爾利希的觀點。「Facebook 充斥新冠肺炎的錯誤訊息，使影片中的議題受到國際重視。」這句話是作者對於整個議題的主觀評論，並沒有引述誰的話，是作者的觀點。「《智》片的導演用煽情的手法來證明自己的觀點。」是作者引述 Facebook 的聲明內容，是 Facebook 的觀點。

解答：作者比較偏向「是」的立場；因為他在文中指出世界各地的假消息工廠和另類選擇黨的例子來說明社群媒體的影響，但沒有用任何例子來支持 Facebook 的說法。

說明：雖然作者沒有在本文中明確呼籲，但其評論都透露出除作者的立場，例如舉俄羅斯、巴西等地的假新聞工廠，及另類選擇黨的案例，就凸顯了社群媒體的危害。雖然篇幅多寡無法完全代表立場，但是提出的論據的數量和效力則會暗示作者傾向的立場。本文在反對方的意見中，只舉出 Facebook 的聲明這一條資料，而且 Facebook 作為這起事件的主要當事人，其說法的客觀性較低。因此可以說：作者沒有舉出第三方客觀的證據來支持反對方的意見。

越來越環保的電動車

練習一　　**解答**：（B）

說明：要理解「電動車越來越環保」，需理解什麼因素會導致電動車變得環保。文中提到碳排需考慮的因素，其一是車輛的油耗值，mpg 越高，車輛越省油，其二則是車輛能源供給過程的碳排量，數值越小則車輛的越環保。電動車依靠電力驅動，因此生產電能的過程如果越環保，則電動車就會越環保。綠色能源是環保的能源，所以當綠色能源發電的比例提高，表示人類能以更環保的方式生產電能，則依賴電能驅動的電動車，在能源供給過程中的碳排量就會減少。雖然根據本文，2016 年與 2009 年相比，美國整體的 mpg 有大幅的提升，但資料並沒有說明這個結果是什麼原因導致的，可能是因為汽車變得越來越環保，拉高了 mpg 的數值，所以這項數據雖然可能與電動車變省油有關，但不能直接證明電動車越來越環保。

練習二　　**解答**：（D）

說明：為了強化文本的論述，文章中常會引用外部的資料，資料來源也是不可忽略的，否則便無法證明該筆資料是否可信，並被質疑使用偽造或來路不明的假資料。本文僅有在各種發電比例、美國各地區 mpg 比較使用到圖表；文中許多地方都舉出具體的數據，如 mpg、休旅車油耗；至於電動車和休旅車的比較，本文只有在介紹 mpg 和休旅車比較時有做到。文中所有事實的共通點，就是沒有提及資料的出處。

練習三　　**解答**：（A）

說明：本文作者的觀點是「電動車會越來越環保」，文中大力讚揚電動車的好處，且舉出了許多電動車環保有力的證據，似乎在向讀者進行宣傳。為了達成這個目的，作者沒有在文中探討電動車是否環保的反面事例，例如研發成本較高、需要建設新的充電柱等，其中，「鋰電池的生產過程會造成高污染」則是電動車主要面臨的環保議題，作者秉持著一貫的寫作目的，很可能不會將此事實放入文中，減損本來的論述效力。「化石燃料將會耗盡」對電動車來說是有利消息，作者應會支持；「電動車性能較差」雖是事實，但大部分的電動車性能已經足夠一般民眾使用，在不需要超高速、超大馬力的多數情況中，性能對電動車而言不是太大的缺點；「汽車至今越來越省油」雖也是事實，但文中已經明確提到，目前最省油的汽車仍比不上電動車。

按讚會挨告嗎？

練習一　　解答：（C）

說明：「『按讚』與『閱』或『看過』很相似」是作者的判斷；「『按讚』的功能是『表達關心或認同』」則是法界普遍的看法；「小華是『死白目』」是小美的觀點；而「小明沒有留言」則是可以透過文本內容得知的事實。

練習二　　解答：（B）

說明：「罵人『死白目』」是否侮辱他人可能因人、因情境而異，但該詞語具有貶低人格的功能，在法律中即符合「侮辱」定義。而根據文中提到的法界見解，「按讚」的行為並不被視為積極的同意和侮辱，因此往往不會受到處罰。而「公然侮辱罪」除了「侮辱」之外，還需要符合「公然」的要件，在私密的日記裡罵人，沒有讓別人知道，則不構成公然侮辱罪。在公眾場合當面罵人，符合公然侮辱罪的情境，「可能」依據《刑法》被起訴，但真正起訴與否，則要看當事人是否願意提告。因此文中才會說：「只要小華覺得受辱，就符合『侮辱』要件，因此涉及公然侮辱罪。」也就是說，如果小華沒有覺得受辱，則罪名就不會成立。

練習三　　解答：（C）

說明：文中列舉了三條法律條文，舉了兩個事例，並在案例一中分別分析了小美與小明可能面臨的狀況，這些都是文中存在的事實。而「本文的寫作目的為提醒讀者」，是小君根據文本內容，理解、推論出來的結果，是個人的觀點。

去爬五寮尖

練習一

解答：第三格：峭壁雄峰以繩索垂降三十公尺；第四格：三角點成功登頂五寮尖山，覺得完成一件了不起的事。

說明：已完成的格子中，分別標示了「地點」和「事件」，只要找到文章中作者去過哪些地方，在哪裡做了什麼事，就可以輕鬆完成表格內容囉！

練習二

解答：左格：步道長度 5.5 公里；下格：所在地新北市三峽區。

說明：文中提到五寮尖山的地形「高低起伏」、海拔高度「639 公尺」，步道長度「5.5 公里」、所需時間「約五小時」、所在地為「新北市三峽區」，同學可以選取其中的訊息填入圖表。

練習三

解答：

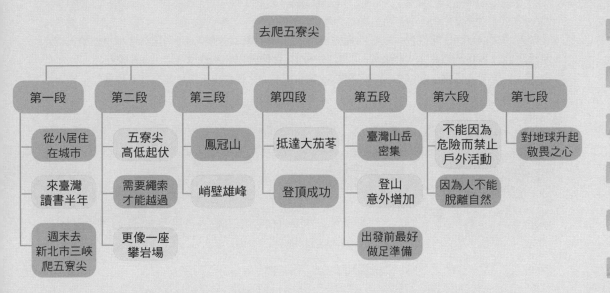

說明：本題需分辨這些字卡中的訊息出現在哪一段落，再填入段落下的空格。

印度沒有咖哩

練習一　解答：

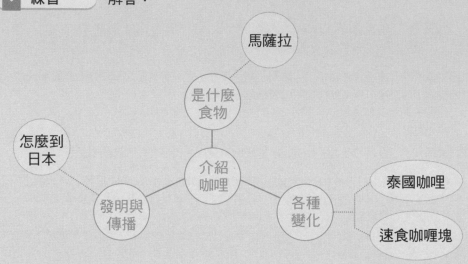

說明：「介紹咖哩」可以包含咖哩的食物特色、發明傳播與各種變化，乃至於各種小細節，所以適合作為核心概念。「馬薩拉」可以放在「是什麼食物」的概念下；「怎麼到日本」可以放在「發明與傳播」的概念下；「泰國咖哩」、「速食咖哩塊」可以放在「各種變化」的概念下。

練習二

解答：A 因為印度人誤以為葡萄牙人間的是醬汁的名字。；B 因為日本明治維新，學習英國的軍隊制度。；C 因為咖哩沒有固定的配方。

說明：已可以分別從第三段、第七段和第四段找到答案。

練習三　解答：

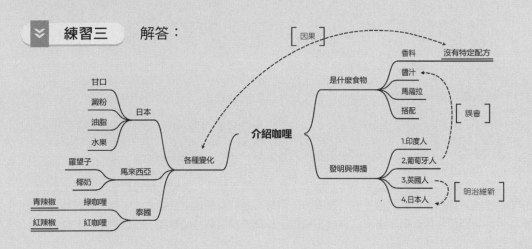

說明：此心智圖只供參考，如果你有你自己的心智圖架構想法，只要能夠用邏輯解釋，並且清楚表達文本的意思，就是好的答案喔！

畢業生出路調查

練習一　解答：（B）

說明：第一部分呈現「人數」，第二部分呈現「比率」，其餘「科組」、「畢業出路類別」皆相同，兩個圖表也都顯示個別類別的數據與合計。

練習二　解答：已升學、已就業、未升學／就業、其他情況

說明：這篇文章主要在比較不同科組的畢業生出路概況，主要有「已升學」、「已就業」、「未升學／就業」、「其他情況」等四種，因此第三層應將這些資訊放入，才能呈現這篇文章要表達的內容。

練習三　解答：校長－B；科組長－A

說明：校長想知道升學率的高低，所以他只需要去讀「已升學」的相關資料，而不用閱讀有關「就業率」、「未升學／就業」、「其他情況」的資訊。圖B的樹狀圖可以讓他在第二層就將資訊做區分，直接閱讀「已升學」下方個科組的升學率資訊即可。同樣的，機械科的負責人不需要去了解其他科組的畢業生出路概況，所以選擇圖A較佳，可以少讀不必要的資訊。

我們都是一家人:卑南族的「家」

練習一　解答:(C)

說明:根據第一段可以判斷。

練習二　解答:越來越多的研究出現／研究越來越多

說明:新的判斷也仰賴新的證據支持。當越來越多的研究出現,勢必會影響原先的判斷。新研究或證據可能與原來的假設一致,進而加強原來判斷的可信度;不過,新的資料也可能與原來的假設相反,這時候學者就必須修正論點。千萬不能因為證據和自己的想法不同,就忽略不看喔!

練習三

解答:卑南族依靠許多要素來形成「家」的觀念,例如血緣、婚姻、家屋、小米種子、祖靈屋等。

說明:此為參考解答,可根據第一段找尋適合答案。

用 AR 給朋友不一樣的聖誕驚喜吧!

練習一

解答:不行;要看完「『奇幻聖誕樹』流程」才能知道紙膠帶的用途。

說明:在「AR 的原理是什麼?」中我們只能知道 AR 運作的原理和條件,但不能知道在這個專案中,這些要素具體分別是什麼。因此對於紙膠帶的用途,我們只能提出「假設」,等到讀完所有步驟之後,我們才能確認:它的用途不是裝飾聖誕樹,而是標記使用者使用 AR 的位置!

練習二　解答:(A)

說明:本題可連同第三題一起檢視。

解答：因為文章中提到：紙膠帶能讓使用者在正確的地方使用 AR；這個訊息暗示了：「Easy 玩 AR！」APP 對於「符合的場景」要求很嚴格，需要固定不動的場景，而且只能設定一種場景對應一種動畫；而情境中的效果是什麼：根據煙霧形狀跑出一隻龍；這個效果為什麼超出 APP 的限制：煙霧的形狀很不固定，不是固定的場景，而且也不能根據不同煙霧跑出不同的龍；所以這個效果不適合使用「Easy 玩 AR！」APP 來實現。

說明：如果第二題答錯，那麼在本題作答時便可能出現以下狀況：
（1）找不到足夠的訊息來支持推論。這表示這個推論並不基於文本，可能是讀者自己主觀的想像；或
（2）不需要使用到文本的大部分內容就能完成支持。這表示這個推論只是文本的局部內容，讀者可能過度關注在這些內容，而沒有從整體來理解文本。

日本核能發展趨勢

練習一

解答：(1)日本核電發展的背景與計畫方向；(2)日本2019～2020年的核電狀況；(3) 日本 2020 年的核電事件與解讀。

說明：本文首段提及日本由於天然能源稀少，必須仰賴核電，並計劃持續提高核電的發電占比，不過卻在 2011 年發生 311 海嘯。次段則提及歷經多年重建，2019 年日本核電占比來到災後的高峰，並介紹了 2020 年仍在運轉的核能電廠。第 3 段則以解讀破題，指出 2020 年的核電數據可能下降，因為 2020 年出現了許多核電事件，導致許多反應爐暫停運轉。

練習二　　解答：（B）

說明：本題需連同第三題一起檢視。

練習三

解答：文本的目的是「說明日本核電現況和展望」，可分為「現況」和「展望」。第二段提到日本現在的核電占比、運轉中的反應爐數量等，是為現況。第三段作者提出「日本 2020 年的核電發展可能停滯」觀點，並提出相關的事件證據，是為展望。

說明：此為參考答案。如果第二題答錯，那麼在本題作答時便可能出現以下兩種狀況：
（1）找不到足夠的訊息來支持假設。這表示這個假設並不基於文本，可能是讀者自己主觀的想像；
（2）不需要使用到文本的大部分內容就能完成支持。這表示這個假設只是文本的局部內容，讀者可能過度關注這些內容，而沒有從整體來理解文本。

聽線上音樂也會污染地球？

練習一　解答：（B）

說明：本文作者的論點為：線上音樂也會造成地球污染。作者指出線上音樂所排放出來的溫室氣體，並與過去黑膠唱片、CD 等媒體和航空業做比較。需要注意的是，碳排總量越高不代表越不環保，在這個例子中，作者還明確指出人口成長、人們消費習慣改變等因素，這些都是造成線上音樂污染環境的關鍵，因此不能說「人類的科技比以前不環保」。

練習二　解答：（D）

說明：作者的看法是「現在的科技還不夠環保」，而碳排量就是直接能證明此事的證據。碳排量越高，越不環保。雖然人口增加和上網時間增長是現在科技耗能增加的原因，但這個資訊沒有提到環保相關的訊息，無法說明科技不夠環保。而文中黑膠唱片和 CD 消耗的資源都是為了和線上音樂做比較而存在的，這兩個訊息分別顯示了黑膠唱片和 CD 的耗能，和線上音樂並無直接關係。

練習三　解答：（B）

說明：本文搜集了格拉斯格大學和奧斯陸大學的研究成果，來證明線上音樂對地球所造成的污染。

另類出遊計畫

練習一　解答：（C）

說明：透過本文的行程，可以知道每一個活動的時間；而每個人對應到每個行程，則是這個人在此時應該負責的工作，所以能確定人員分工。

練習二　解答：（B）

說明：本題需連同第三題一起檢視。

解答：（參考答案）標註為「任務」的行程底色為黃色，其餘為藍色及橘色。

說明：仔細觀察表格中的底色變化，可以發現只要標為「任務」的活動，底色一律為黃色，而沒有標註「任務」的活動則為藍與橘色。這是四個選項中唯一能在文本中找到證據支持的可能。因為美觀是見仁見智的，且無法判斷作者喜歡什麼，從表中無法得知嚮導什麼時候會參與活動。

電玩技能製作教程

練習一　　　解答：（D）

說明：根據「招式描述」可以得知，且後方的教學中並沒有描述使怪物離開地表的效果。

練習二

解答與說明：本文的技能教程在示範動畫的製作，其餘的效果如傷害、暈眩等，都不需要特別製作，可知官方原來的功能中沒有擊退怪物，需要靠玩家自行開發。

練習三　　　解答：（B）

說明：目前的動畫每 0.1 秒會播放一張，也就是一秒會播放十張圖片。根據（B），二十四張是基本的流暢要求，低於二十四張就會看起來卡頓不流暢。只有此選項能夠支持工程師的論點。選項（A）和（C）說出動畫的原理，但不能支持工程師「現在的寫法會不流暢」的說法。

助產士

練習一　解答：（D）

說明：文章第一段敘述了臺灣助產士沒落的現象，第二段提及「政府政策」是助產士沒落的原因，接下來的段落則是在討論由助產士接生嬰兒的優點，並提到開放對助產士的法規限制，可帶來的正面效益。由此可知作者認為目前的法令規定限制了助產士的工作內容，也讓民眾以為由助產士接生比在醫院接生危險，使得助產士的數量逐漸減少，故本文主要在探討「政策對助產士的影響」。

練習二　解答：（B）

說明：本文先在第一段提出問題「助產士助產比例減少」，第二段以「國家政策」回應該問題，並在第三到五段針對這個現象，從生理健康、醫病關係、城鄉資源與性別平等面向來加以探討，依照提出問題、描述現況、分析闡釋、結論建議的脈絡，充分探究了助產士議題。

練習三　解答：（C）

說明：本文是一篇帶有主觀意圖的論說性文本，但作者引用了不少外部資料，在推論上也舉出具體的概念來闡述，並非全然都是作者主觀的情感抒發。本文在用字上也比較樸實，使用了較多具體的名詞、動詞和數字，少用修飾性的形容詞、副詞，目的是讓論述脈絡清晰，而非追求藝術上的美感。

新冠肺炎讓人憂鬱？

練習一　解答：（D）

說明：本文主要在論述新冠肺炎與心理疾病之間的關聯，並舉出多個案例與數據來分析現象。

練習二　解答：（B）

說明：本文的前半部分從行為、慢性病等因素來分析心理疾病者可能受到病毒更大的影響，並以數據圖表來支持。後半部分則先提出呼籲：我們要關心疫情對人的心理健康造成的影響，其後以「隔離」、「失業」等事件來補足自己的論證。

說明：在本文兩個主要論述之間，有一句「儘管聽起來煞有介事，我們卻應該將焦點放在另一個目標上。」這句話在全文敘述中有著關鍵影響。此句話之前的內容雖然也是事實，但並非作者在本文中主要關心的，反而後半段的內容才是作者的重點，於是作者建議我們將焦點放在另一個目標上。當文本中有兩個互相衝突的主要內容時，放在後面的內容往往更顯重要，因為轉折之後的內容可以挑戰前面的內容。

火災逃生計畫

練習一　　解答：（A）

說明：我們閱讀的順序除了根據從左到右（橫式）、從上到下的習慣之外，我們的大腦也會挑選相對容易理解的資訊先進行處理。大的、鮮豔的、醒目的資訊容易抓住我們的目光，所以標題通常會使用較大、較粗的字體，或使用不同的顏色來呈現。我們畫重點時也會以紅筆或螢光筆做記號。

練習二　　解答：（C）

說明：仔細觀察顏色的規則，會發現藍色的逃生路線都指向「門」，而橘紅色的逃生路線都指向「窗」。作者利用這兩種顏色來讓畫面看起來更規律，同時或許也暗示著較佳的逃生路線。

練習三　　解答：（A）

說明：「將逃生計畫張貼於明顯處」下方畫了一個人正在觀看告示、「每六個月進行一次逃生演練」下方畫了一個人跑出房屋、「確保家人知道火警報案程序」則畫了電話與報案號碼，這三張圖片的共同點是「將原來文字的內容以簡單的圖像呈現」，沒有提供太多額外的資訊。圖畫是最直接、最接近我們真實看見的世界的訊息表現方式，作者透過將指示的內容圖像化，能夠減少我們閱讀時需要自行想像的負擔。這就是為什麼漫畫、圖畫書總是比小說容易閱讀的原因。

廉布朗號事件

練習一 解答：支持水手把乘客丟下海：小坤；
反對水手把乘客丟下海：小志、小明。

說明：題幹中將事件立場分為「支持水手」和「反對水手」。小坤認為「水手的行為合理」，小志則認為「情況還沒有到那麼緊急」，可以明顯看出雙方的立場。至於小明，他雖然指出「兩個人都忽略了另一個重要問題」，看似沒有表明對於事件的立場，不過他的立論更宏觀，他認為「我們沒有人有權利可以決定誰可以死，誰可以活」，這意味著他反對的是「任何犧牲他人的行為」，而事件中的水手的行為明顯違背了這個原則，因此小明必然是反對的。

練習二 解答：（B）

說明：小坤與小志看起來針鋒相對，但他們爭論的關鍵「水手行為是否合理」，並非只是指「是否可以犧牲他人」，而是「在當時的情境下，是否需要犧牲他人」，也就是說，他們意見分歧的部分是「當時的情況是否緊急」，而非「是否可以犧牲他人」。小志說：「殺人是不道德的，除非把人丟下海是讓全部人獲救的唯一選擇。」可見他並非反對一切犧牲他人的行為，這是小志與小坤的共通點。

練習三

解答：（參考答案）我認為小坤的說法合理，因為我們沒有經過當時的情況，大自然的災害難以預測，我們必須盡可能的做好最壞打算，而不是等待奇蹟。不過我認為根本的解決之道，是我們應該做好災害的應變，盡可能的對緊急事件做出模擬，制定計畫，這樣才不會事到臨頭，會有你覺得緊急、我覺得不緊急的情況。

說明：我們可以選擇贊同其中一人的觀點，也可以提出自己的觀點，不過最重要的是觀點的理由。仔細想一想：為什麼我會認同這個觀點？它存在著什麼證據？為什麼這個證據對我來說比較有說服力？我自己的所學和經驗中，是否有同樣可以印證的素材？或者，我們選擇的觀點只是一種不明所以的判斷？試著說明理由，我們可以在「解釋為什麼」的過程中，更加認清這件事，以及我們自己。

國際掃盲日

練習一 解答：（B）

說明：根據第二段：「人類主要靠語言和文字來學習，並與他人溝通，因此一個人的識字能力，對他受教育的機會和參與社會的能力有很大的影響。」。

練習二 解答：（D）

說明：根據第三段：「不過，這並不代表世界上大部分地區的人都能夠閱讀！在經濟相對落後、教育資源匱乏或是發生戰亂的南亞、中東、非洲，或者交通不便的偏遠地區，人們識字率可能還不到 50%。」可以得知。

練習三 解答：（C）

說明：從文中「身處和平繁榮地區的我們，除了一面懷著感恩的心求知與學習，同時也要能夠放眼世界，關懷弱勢的他人。」可以推測這個文宣是呼籲和平繁榮地區的人們，對弱勢地區伸出援手。而從行動一「向聯合國和國際單位發起請願」，可知主辦單位不代表聯合國。

竊賊

練習一 解答：（B）

說明：根據這四則故事所拼湊出的完整故事內容如下：竊賊出獄後重操舊業，進入民宅行竊。但遭到屋主發現，發生激烈扭打後竊賊行竊失敗，檢察官到場處理。隔日竊賊因為傷勢過重而死亡，隨後屋主受到判決，律師發表網路評論引起了輿論批評。而對應回四則故事，竊賊出遇到重新行竊，可對照到第二則。屋主發現自家遭到闖入，則可對應到第一則。檢調人員到場處理則可對應到第二則。屋主受到判決，律師發文引發網路輿論則可對應至第四則。經過統整，文中四則故事發生的時間順序為「第二則→第一則→第三則→第四則」。

練習二 解答：（A）

說明：這四則故事中的主角的身分，可由故事內容進行推敲。第一則故事描寫夫妻返家，發現屋內疑似被人闖入因而產生警覺，因此可推敲出主角為房子的屋主。第二則故事描寫一位更生人經過十三年重返社會，歷經在塑膠廠當工人，到重操舊業，進入一間房子行竊的情節，因此可推敲出主角是一名竊賊。第三則故事敘述主角到了案發現場調查狀況，事後在所內與同事談論著案情，做完勘驗後下班的情節，由此可以判斷出他是一名檢調人員。第四則故事，描寫主角觀察著這起案件在網路上的輿論風向，並也提到他學習過法律，替許多人辯護，也對於這種案件有自己的法律見解。由此可判斷他應該是一名律師。經過統整，這四則故事中的主角身分，應為「屋主、竊賊、檢調人員、律師」。

練習三 解答：（D）

說明：在第四則故事中，可知道主角並非站在輿論一邊，而是反思整起案件的各種可能。由此可看出主角對於「屋主殺死竊賊」的態度，應為「屋主防衛行為過當與否，應謹慎評估判斷」。

用電安全

練習一　解答：（A）

說明：本題要求讀者找出足以判斷「FASHION HAMMER 2 能否在澳門地區使用」的資訊。文本一是「FASHION HAMMER 2 的規格」、文本二是「各地區的用電規格」、文本三則是計算用電安全的資訊。要判斷「FASHION HAMMER 2 能否在澳門地區使用」，我們需理解FASHION HAMMER 2 的規格參數，以及澳門地區的用電標準。要注意的是，題幹詢問的是「能否在澳門地區使用」，而並非「能否連接特定電線或延長線」，因此不需使用到文本三。小昆僅需透過文本一與二，即可了解「FASHION HAMMER 2 能否在澳門地區使用」，在使用轉接頭的情況下，FASHION HAMMER 2 可以適合澳門的用電規格。

練習二　解答：（D）

說明：從文本一中，能夠了解 FASHION HAMMER 2 的適用電壓、功率範圍、是用交流電頻率等，唯獨「插座」一項在文本一中無法明確得知，因此小志可能因此買到了不適用於自己所在地區插座規格的產品。

練習三　解答：（C）

說明：根據文本三，電流的公式為「功率＝電壓 × 電流」。而根據文本一，FASHION HAMMER 2 最小的功率為 1400W，假設小勻以最小功率使用，則算式為：功率 1400W ＝電壓 110V× 電流 xA。透過移項，得知電流 xA ＝功率 1400W÷ 電壓 110V，x 約為 12.72。亦即即使小勻以最小功率使用 FASHION HAMMER 2，仍然會產生 12.72A 左右的電流，超過了延長線 12A 的負荷，因此延長線會熔斷斷電。

向自然學習：海洋仿生學

練習一　解答：2008 年開始，被打破的世界紀錄數量太多。

說明：根據圖表，打破游泳運動世界紀錄的次數從 1990 年開始都維持差不多的趨勢，1999年鯊魚泳衣問世之後，次數略微提升，但到了 2008 年與 2009 年，游泳世界紀錄被打破的次數大幅提升，因此有了「游泳運動不該倚靠外力協助」的爭議，2009 年國際泳聯禁止鯊魚泳衣後，打破世界紀錄的次數驟降。

練習二

解答：相同：兩者都有比較輕便、靈活度高，而且有一定的防護力；
　　　相異：石鱉盔甲的護鎖結構能分散壓力，鎖子甲則沒有這樣的功能。

說明：鎖子甲是很早就使用的防護器具，在鐵器時代就人將鎖子甲用於戰爭之中。和石鱉盔甲一樣，透過將一大片的盔甲，分解成許多相連的小盔甲，不僅保持了護甲的防護力，也增加了活動度。但如果石鱉盔甲和鎖子甲的功能完全一樣，那麼有什麼值得科學家重視的呢？答案就是文中特別提到的石鱉盔甲互鎖結構，能夠「推擠旁邊的鱗甲來分散壓力」，這是鎖子甲所不具備的。事實上，過去的鎖子甲被認為能夠有效的抵禦砍、劈等攻擊，但對於鈍器如錘，或者刺這樣的攻擊方式，防禦力則較弱。

練習三

解答與說明：（參考答案）聲納裝置即是受到海豚與蝙蝠的超音波啟發，海豚與蝙蝠能夠透過發射出超高頻的音波，並透過自身的接收構造，利用聲波發出與反射接受之間的時間差，來描繪周遭環境。現今潛艇搭載的聲納系統就像海豚一樣，在缺乏光線的深海裡，聲納可以幫助軍隊或科學家探測海底地形，避免觸礁。

窮人

練習一　　　解答：（B）

說明：桑娜是本文的主要人物，她偶然發現鄰居家的孤兒，便毅然決然將孩子帶回家扶養。不過在丈夫回來前，桑娜卻陷入焦慮，對自己的決定和丈夫可能的反應充滿質疑，顯示她是一個善良但怯弱、缺少自信的人。

練習二　　　解答：（A）

說明：本文主要在講述貧窮的桑娜一家人救助的經過，以及桑娜內心的不安。故事一開頭寫到環境，用屋外的「又黑又冷」與屋內的「溫暖舒適」做對比，象徵了生活、外在條件的匱乏也無法影響內在的富足與明亮。

練習三

解答與說明：（參考答案）許多宗教故事中都有這樣的例子，例如佛教故事中薩波達國王割下自己的肉餵食老鷹以拯救鴿子，耶穌犧牲生命拯救人類，他們都為了他人犧牲自己珍貴的事物。這種作法是一種高貴的精神，不過從現實的角度來說，在做這些決定之前，應該也要評估每個案例中不同的現實情況，以及自己的犧牲是否對身邊的人造成影響，妥善溝通，取得共識。故事中的桑娜在丈夫回來之前相當的緊張不安，不過最終她也與丈夫取得共識，就會有好的結果。

解答與說明 **綜合練習**

武林盟主——金庸

練習一 解答：（C）

說明：根據第一段：「在手機遊戲的推波助瀾之下，「武俠」並非時下青少年所陌生的詞彙。」可以得知。

練習二 解答：（D）

說明：根據第五段：「在梁羽生與金庸之前，以還珠樓主等人為主的『舊派武俠』多受限於傳統的觀念與陳腔濫調，人物顯得扁平而故事具有規訓意味。」可以得知。

練習三 解答：（B）

說明：根據第五段：「在梁羽生與金庸之前，以還珠樓主等人為主的『舊派武俠』多受限於傳統的觀念與陳腔濫調，人物顯得扁平而故事具有規訓意味。金、梁、古所代表的『新派武俠』則更貼近大眾，借鑒西方的創作元素，採用了較平易但保有古典韻味的語言。」可以得知。

練習四 解答：（C）

說明：主要可以從第四段和第六段推論。第四段寫到金庸受歡迎的程度，甚至有衍生出「金學」。第六段則寫到金庸的創作特色和作品思想內涵。

練習五 解答：（B）

說明：作者在第六段列舉《射雕英雄傳》、《神鵰俠侶》、《天龍八部》、《鹿鼎記》等作品，闡述其思想內涵，藉此來回應自己提出的論點「（金庸）豐富了作品的文化與思想意涵」。

風有多快？

練習一 解答：（D）

說明：根據第三段：「蒲福氏風級並不對風的速度進行絕對、精準的定義，而是透過觀察風對海面和地面物體的影響，來將風速進行級別的區分。」可以得知。

練習二　解答：（A）

說明：根據第三段：「且定性尺度的描述往往比定量尺度更直觀，更容易理解。」可以得知。

練習三　解答：（C）

說明：根據第二段可知「蒲福式風級在 1805 年開始使用」、「蒲福式風級後來隨著測風工具的進步而擴展」。第三段「在精準測量技術尚未出現的古代或數字更難精準體現的領域，定性尺度使用得較為廣泛」，可以推論出：早期由於精準風速測量的困難，因而使用「公里／小時」或「節」描述風速較蒲福式風級晚出現。

練習四　解答：（B）

說明：根據最後一段，「節」的定義「海里／小時」，再參考表格中「節」與「公里／小時」的比值，可以發現「公里／小時」約為「節」的 1.8 倍左右，即 1 海里約等於 1.8 公里，故選擇最接近的 2 公里。

練習五　解答：（C）

說明：根據第三段：「在精準測量技術尚未出現的古代或數字更難精準體現的領域，定性尺度使用得較為廣泛。」疼痛程度並不容易化成具體的數量，因此用定性程度來表示最為合適。

大排「長榮」誰負責？

練習一　解答：（B）

說明：根據第一段：「長賜號在行經連接紅海與地中海的蘇伊士運河時，遭遇到風速高達 40 節（約時速 76 公里）的沙塵暴。長達 400 公尺的船身在強風的吹襲下偏離航道，碰撞運河底部而擱淺。」可以得知。

練習二　解答：（A）

說明：統整段意，可以知道首段說明事件發生經過，第二段說明事件造成的影響，第三段則說明救援和脫困經過。

練習三　解答：（C）

說明：根據第五段：「3 月 25 日，長榮海運發表聲明，因為長賜輪是長榮向日本船東公司正榮汽船所承租的貨輪，貨輪的航行、維護、人力派遣都由船東公司負責，因此正榮汽船需要為此事件負起主要的可能責任並賠償相關單位，包括蒙受實質經濟與名譽損失的周邊國家、蘇伊士運河管理局、其他貨輪，以及長榮海運。」可以得知。

練習四　解答：（D）

說明：蘇伊士運河連接歐洲與亞洲航線，因此往返歐、亞城市的航線會受到影響。新加坡與東京街位於亞洲；波士頓（東岸）位於北美，倫敦位於歐洲；洛杉磯位於北美（西岸），高雄位於亞洲。只有里斯本（位於歐洲）－孟買（位於亞洲）會受到影響。

練習五　解答：（B）

說明：本文前三段概述事件經過，後五段則針對「賠償責任歸屬」進行說明，分為兩個主題書寫，而非以時間順序從頭寫到尾。本文作者主要以引述外部資料，向讀者說明事件的來龍去脈，並沒有太多自己的主觀看法。然而在引述資料時，作者也會採用一些來源不明的消息，並加以註明，並不全是引用已經確定、可信的消息。

獵戶座變暗事件

練習一　解答：（C）

說明：根據第二段：「在希臘人所在的北半球夜空中同樣『王不見王』：當一方從地平線升起時，另一方必定在另一端落下。」可以得知。

練習二　解答：（C）

說明：根據第三段：「作為北半球冬季夜空中最壯麗的星座，獵戶座的辨認不是難事。由三顆亮星——參宿一、參宿二及參宿三——整齊排列而成的『獵戶腰帶』非常顯眼，是觀察獵戶座的第一步。」可以得知。

練習三 解答：（D）

說明：因為參宿四變暗而恐慌的人，是因為作為紅超巨星的參宿四可能會發生超新星爆炸，擔心超新星爆炸的物質會地球摧毀大氣。若他們不知道以上其中任何一個環節，則他們不會有此擔憂。並且，若他們知道「地球在參宿四超新星爆炸的危險範圍之外」，也不會有這樣的擔心。

練習四 解答：（B）

說明：根據第六段：「天文學家們對這次的變暗事件有了普遍的共識：一片巨大的星塵飄過了參宿四與地球之間，阻擋了它的光線。」可以得知。

練習五 解答：（A）

說明：根據第三段的描述：「由三顆亮星──參宿一、參宿二及參宿三──整齊排列而成的『獵戶腰帶』非常顯眼，是觀察獵戶座的第一步；而在腰帶的四周，分別代表獵戶座四肢的四顆星星（參宿四、參宿五、參宿六、參宿七）也同樣容易尋得。」可以推論出獵戶座的大概形狀。

Note

更多品學堂閱讀平臺延伸閱讀文章，
請掃描 QR Code。

晨讀10分鐘系列 043

[小學生]
閱讀素養故事集 閱讀練習本

總策劃｜黃國珍
題目設計｜陳昆志、品學堂編輯群

責任編輯｜楊琇珊
美術設計｜丘山
行銷企劃｜葉怡伶、陳詩茵

天下雜誌群創辦人｜殷允芃
董事長兼執行長｜何琦瑜
媒體暨產品事業群
總經理｜游玉雪
副總經理｜林彥傑
總編輯｜林欣靜
行銷總監｜林育菁
副總監｜李幼婷
版權主任｜何晨瑋、黃微真

出版者｜親子天下股份有限公司
地址｜臺北市104建國北路一段96號4樓
電話｜（02）2509-2800 傳真｜（02）2509-2462
網址｜www.parenting.com.tw
讀者服務專線｜（02）2662-0332 週一～週五：09:00~17:30
讀者服務傳真｜（02）2662-6048
客服信箱｜parenting@cw.com.tw
法律顧問｜臺英國際商務法律事務所・羅明通律師
製版印刷｜中原造像股份有限公司
總經銷｜大和圖書有限公司 電話：（02）8990-2588

出版日期｜2021年9月第一版第一次印行
　　　　　2024年8月第一版第四次印行
定價｜219元
書號｜BKKCI028P
ISBN｜4717211029619（平裝）

訂購服務───────────────────
親子天下 Shopping｜shopping.parenting.com.tw
海外・大量訂購｜parenting@cw.com.tw
書香花園｜台北市建國北路二段6巷11號 電話（02）2506-1635
劃撥帳號｜50331356 親子天下股份有限公司

立即購買 >